KB131381

베르가모의 페스트 외

베르가모의 페스트 외

Pesten i Bergamo

옌스 페테르 야콥센 중단편 전집　박종대 옮김

PESTEN I BERGAMO
by JENS PETER JACOBSEN (1882)

이 책은 실로 꿰매어 제본하는 정통적인 사철 방식으로 만들어졌습니다.
사철 방식으로 제본된 책은 오랫동안 보관해도 손상되지 않습니다.

베르가모의 페스트

구(舊)베르가모는 성벽과 성문으로 둘러싸인 채 야트막한 산꼭대기에 있었다. 반면에 신(新) 베르가모는 사방이 툭 트인 산자락에 있었다.

어느 날 산 아래 신베르가모에서 페스트가 발발해 무서운 기세로 번져 나갔다. 주민들이 하나둘 줄줄이 죽어 나가자 남은 사람들은 사방으로 도망쳤다. 구베르가모 시민들은 병균으로 더러워진 대기를 정화한다는 이유로 버림받은 신도시에 불을 질렀다. 그러나 소용이 없었다. 산꼭대기 사람들도 죽어 나가기 시작했다. 처음에는 하루에 한 명, 나중에는 다섯 명, 다음에는 열 명, 그다음에는 스무 명씩 쓰러져 갔다. 그러다 페스트가 절정에 이르자 훨씬 더 많은 사람들이 목숨을 잃었다.

하지만 이들은 신도시 사람들처럼 도망칠 수가 없었다.

물론 일부 도주를 시도한 사람들도 있었다. 하지만 그들은 쫓기는 짐승처럼 도랑과 하수구, 숲과 푸른 들판에 몸을 숨겨야 했다. 첫 도주자들이 자신들에게 페스트를 옮겼다고 생각한 농부들이 낯선 인간을 보면 바로 돌을 던져 마을에서 쫓아내거나 미친개처럼 인정사정없이 몽둥이를 휘둘러 댔기 때문이다. 이 모든 게 어쩔 수 없는 정당방위라고 굳게 믿으면서 말이다.

결국 구베르가모 사람들은 원래 자신들이 사는 곳에 남을 수밖에 없었다. 하루가 다르게 날은 더워졌고, 무시무시한 병은 나날이 기세를 높이며 도시를 장악해 나갔다. 공포는 광기로 변했다. 예전의 평화로운 질서와 정의로운 통치는 사라졌고, 이제는 마치 대지가 그 모든 선함을 집어삼킨 뒤 인간들에게 최악의 것을 내어 준 듯했다.

페스트가 막 발발했을 때만 해도 인간들은 하나로 뭉치고 화합했다. 죽은 사람이 나오면 예를 갖춰 묻었고, 건강한 연기가 골목 곳곳으로 퍼질 수 있도록 날마다 장터와 광장에 장작을 높이 쌓아 놓고 태웠다. 게다가 페스트를 막는 데 효과가 있다는 솔잎과 식초를 가난한 사람들에게 나누어 주었다. 하지만 그들이 가장 열심이었던 것은 이른 아침이건 늦은 밤이건, 혼자서건 여럿이 짝을 지어서건 교회를 찾아가 매일 신에게 기도드리는 일이었다. 해가 산 너머로 떨어지면 도시의 모든 교회 종들은 목구멍 깊숙한 곳에서 뱉어 내는 애절한 소리로 하늘을 향해 울부짖었다. 가정에는 금식 명령이 떨어졌고, 교회 제단에는 매일 성유물이 바쳐졌다.

그런 그들도 마침내 더 이상 무엇을 어떻게 해야 할지 모르는 시점이 찾아오자, 어느 날 시청 발코니에서 튜바와 트롬본 소리가 엄숙하게 울려 퍼지는 가운데 성모마리아를 이 도시의 영원한 시장으로 선포했다.

그마저도 소용이 없었다. 도움이 되는 일은 전혀 일어나지 않았다.

주민들도 이제 그것을 깨달았다. 그래서 하늘이 자신들을 도우려 하지 않고 도울 수도 없음을 확신하게 되었을 때 마침내 기도하던 두 손을 내려놓고는 이제 하늘에다 대고, 어디 마음대로 해보라는 식으로 욕을 퍼부었다. 이는 마치 죄악이 은밀하게 다가온 그 끔찍한 육신의 병과 손잡고 영혼까지 죽이려는 사악하고 미친 영혼의 병으로 변한 듯했다. 그들의 행동은 도를 넘었고, 타락은 극에 달했다. 대기는 신에 대한 불경과 모독으로 가득 찼고, 절망감을 술과 음식에 대한 즐거움으로 이겨 내려는 인간들의 신음과 비명으로 가득했다. 게다가 밤이면 그들은 평소보다 더 많은 음행을 노골적으로 저질렀다.

「내일 당장 죽을지 모르는데 오늘이라도 마음껏 먹고 마시자!」

이는 마치 다양한 악기의 협연으로 이루어진 영원한 지옥의 콘서트를 위해 작곡된 악보의 라이트모티프나 다름없었다. 그랬다. 그 전까지 인간의 죄악이 충분히 발명되지 않았다면, 이제야 남은 것 하나까지 모조리 발명된 듯했다. 그들은 악을 따르지 않을 다른 방법이 없었기 때문이다. 인간들 사이에서는 하늘과 자연의 도리에 어긋나는 악덕이 창궐했다. 죽은 자와 소통하고 죽은 자를 부르는 주술도 일상이 되었다. 하늘의 힘에 기댈 수 없다면 악의 힘을 빌려서라도 자신을 보호하려는 사람들이 많아졌기 때문이다.

과거에 〈도움〉이니 〈동정〉이니 하는 말로 불렸던 모든 따뜻한 감정이 사람들의 마음에서 사라졌다. 이제는 다들 각자도생할 궁리만 했다. 병자는 공공의 적으로 여겨졌고, 혹시 누군가 길에서 페스트 열병으로 풀썩 쓰러져도 문을 열고 나와 보는 이가 없었다. 아니 오히려 창으로 찌르거나 돌을 던져 그 불쌍한 인간을 건강한 사람들 근처에 얼씬도 못하게 했다.

날이 갈수록 페스트는 위력을 더해 갔다. 여름 해는 도시를 태워 버릴 듯 뜨겁게 내리쬐었고, 비는 한 방울도 내리지 않았다. 심지어 약한 바람조차 일지 없었다. 집 안의 부패한 시신과 대충 아무렇게나 묻은 시신에서는 악취가 진동했다. 거리의 정체된 대기와 뒤섞인 이 악취를 맡고 까마귀가 떼 지어 몰려와 담장과 지붕 위에 새까맣게 내려앉았다. 게다가 이것들 말고도 도시를 둥그렇게 둘러싼 성벽 위에는 저 멀리서 어떻게 알고 찾아왔는지 괴상한 생김새의 이국적인 큰 새들이 곳곳에 앉아 있었다. 부리에서는 약탈의 욕망이 뚝뚝 흘러내렸고, 날카로운 발톱에서는 포식의 기대감이 잔뜩 묻어났다. 녀석들은 그렇게 앉아 탐욕스럽고 차분한 눈으로 도시를 내려다보았다. 마치 이 불행한 도시가 거대한 시체 구덩이로 변하기만 기다리는 듯이.

전염병이 발발한 지 열한 주째 되는 날이었다. 성탑 파수꾼과 좀 더 높은 지대에 사는 사람들은 산 아래 연기로 검게 그을린 담벼락과 시커먼 잿더미 사이로 한 이상한 행렬을 보았다. 이들은 평원을 건너 신베르가모로 들어가는 중이었는데, 족히 6백 명은 넘을 듯했다. 게다가 남자와 여자, 늙은이와 아이 할 것 없이 온갖 사람이 섞여 있었다. 이들은 커다란 검은 십자가를 함께 들고, 불꽃과 피처럼 붉고 넓은 깃발을 높이 치켜든 채 노래를 부르면서 나아갔다. 절망에 찌든 비탄의 목소리가 짓눌린 듯 텁

텁한 대기 위로 높이 솟구쳤다.

다들 옷 색깔은 갈색, 회색, 검은색으로 다양했지만, 가슴팍에 무언가 빨간 표식을 달고 있는 건 한결같았다. 점점 가까워지면서 그게 십자가임이 드러났다. 그렇다. 이제 그들은 서서히 구베르가모로 다가오고 있었다. 바짝 밀집한 채 벽으로 둘러싸인 가파른 길을 따라. 창백한 얼굴들의 군집이었다. 손에는 채찍을 쥐었고, 빨간 깃발에는 불꽃비가 그려져 있었다. 밀집한 군중 속에서 검은 십자가들이 너울너울 흔들렸다.

덩어리진 무리 속에서 땀 냄새와 재 냄새, 먼지 냄새, 오래된 유향 냄새가 피어올랐다. 그들은 더 이상 노래를 부르지 않았다. 말도 하지 않았다. 오직 무수한 맨발이 떼를 지어 빠르게 땅을 디디는 소리밖에 나지 않았다.

성문 안쪽의 어둠 속으로 군중의 얼굴이 줄지어 들어가더니 성문 반대편 끝에서는 햇빛으로 눈을 찡그린 얼굴들이 다시 빛 속에 나타났다. 그때부터 다시 노래가 시작되었다. 미세레레였다.[1] 그들은 채찍을 더욱 굳게 쥐었고, 군가를 부르며 행진하는 군인들처럼 더욱 힘차게 발을 내디뎠다.

1 시편 51편에 곡을 붙인 참회의 기도곡. 이하 모든 주는 옮긴이의 주이다.

다들 굶주린 도시에서 온 사람들 같았다. 볼은 홀쭉하고, 뼈는 불거져 나왔으며, 입술은 핏기가 없었고, 눈 밑엔 짙은 색의 그늘이 드리워져 있었다.

베르가모 주민들은 우르르 몰려나와 불안하고 의아한 눈으로 그들을 바라보았다. 잘 먹어서 붉은빛이 도는 주민들의 얼굴과 낯선 군중의 창백한 얼굴은 뚜렷한 대조를 이루었다. 방탕한 생활로 빛을 잃은 시선은 이들 군중의 날카롭고 형형한 눈앞에서 절로 떨구어졌다. 게다가 신을 조롱하고 모욕한 자들은 이 거룩한 찬송가 앞에 멍하니 입만 벌리고 서 있었다.

그들의 채찍에는 피가 묻어 있었다. 베르가모 주민들은 이 사람들에게서 정말로 기묘한 느낌에 사로잡혔다.

그러나 이도 오래가지 않았다. 그들은 낯선 무리에 대한 그런 인상을 금방 털어 냈다. 몇몇 이들은 커다란 십자가를 진 사람들 중에서 자신들이 반쯤 미친놈으로 취급하는 브레시아 출신의 구두장이를 알아보고는 그 즉시 이 무리 전체를 비아냥거리게 된 것이다. 하지만 그사이 새로운 느낌도 들었다. 그러니까 일상의 따분함을 해소할 무언가 신기한 재미거리를 찾은 듯한 기분이었다. 그래서 낯선 무리가 교회로 걸어가자 주민들은 마치 곡예단이나 잘 길들인 곰을 졸졸 따라가듯 그들을 뒤따랐다.

그런데 그들은 서로 밀치면서 이 무리를 따르다가 갑자기 화가 치밀었고, 이 무리의 엄숙함에 비해 자신들은 너무 무덤덤하다는 생각이 들었다. 게다가 구두장이와 재단사가 여기에 온 이유는 너무 잘 알고 있었다. 자신들을 회개시키고, 자신들이 듣기 싫어하는 말을 지껄이고, 자신들과 함께 기도를 하기 위해서였다. 베르가모 주민들 중에는 이 도시에 신성 모독을 체계적으로 퍼뜨린 백발의 깡마른 철학자가 두 명 있었는데, 이들은 흥분한 주민들의 가슴에 적개심을 부추겼다. 그래서 교회로 한 걸음 한 걸음 가까워질수록 주민들의 태도는 점점 위협적으로 변했고, 분노는 극에 달해 갔다. 그래서 스스로에게 채찍질을 하는 이방인들에게 폭력을 가할 순간도 얼마 남지 않아 보였다. 그런데 교회까지 백 걸음도 채 남지 않았을 때 술집 문이 홱 열리더니 술 취한 인간들이 쏟아져 나왔다. 얼마나 마셨는지 남의 등에 업혀 나오는 녀석도 있었다. 고주망태가 된 인간들은 행렬 선두로 가더니 노래를 부르고, 비웃듯이 우스꽝스러운 동작을 하면서 행렬을 이끌었다. 한 사람만 예외였다. 그는 풀이 웃자란 교회 계단을 재주넘기로 단번에 훌쩍 뛰어 올라갔다. 순간 폭소가 터졌고, 그 바람에 다들 평화롭게 성소에 들어갈 수 있었다.

오랜만에 성소에 들어와 서늘하고 큼직한 공간을 다시 걷다 보니 이상한 기분이 들었다. 교회 안에는 양초 심지의 매캐한 냄새가 배어 있었고, 발밑에서는 반쯤 지워진 장식과 환한 비문으로 그들의 머릿속을 자주 피곤하게 했던 오래된 석판이 느껴졌다. 이제 그들은 한편으로는 궁금하기도 하고, 한편으로는 마지못한 심정으로 아치 아래의 부드러운 어스름 쪽으로 시선을 던지거나 여기저기 먼지 쌓인 금과 연기로 그을린 모자이크를 바라보거나, 아니면 제단 모서리의 그늘 속으로 슬그머니 시선을 돌렸다. 그러고 있자니 일종의 그리움 같은 것이 걷잡을 수 없이 솟구쳤다.

그사이 술집에서 나온 인간들은 제단 위에서 무도한 짓을 서슴지 않았다. 마을 백정인 한 건장한 젊은이는 흰 앞치마를 벗어 목에 묶은 뒤 망토처럼 뒤로 내리고는 상상할 수도 없을 만큼 상스럽고 음탕한 말로 신을 모독하는 미사를 거행했다. 그러자 배가 나오고 뚱뚱했지만 몸이 상당히 민첩하고, 쪼그라든 단호박같이 생긴 늙수그레한 남자는 복사 역할을 자청하며 듣기 민망할 정도로 난삽한 말로 백정과 호응했다. 그는 무릎을 꿇고 절을 했고, 제단을 등진 채 서커스 광대나 쓰는 작은 종을 치더니 향로를 물레바퀴처럼 휘휘 돌렸다. 제단 계단에 멋대로 뻗어 있던 술 취한 인간들은 포복절도를 했고, 술에 취해 연신 딸꾹질을 했다.

교회는 웃음소리로 떠나갈 듯했다. 술 취한 인간들은 이방인 무리를 조롱했고, 여기 구베르가모에서는 신을 어떻게 모시는지 잘 보라며 고래고래 고함을 질렀다. 이유는 분명했다. 이들은 사실 이런 불경한 소동에 환호함으로써 신을 욕보이려고 했다기보다는 오히려 저 경건한 인간들이 이런 신성 모독 행위에 가슴이 찢어지는 모습을 보고 싶었기 때문이다.

경건한 자들은 교회 한가운데에 멈추어 서서 고통으로 신음했고, 심장은 증오와 복수심으로 들끓었다. 그들은 두 팔을 하늘로 뻗으며 간절한 눈빛으로 애원했다. 여기 주님의 집에서 저렇게 입에 담지 못할 조롱을 퍼붓는 자들에게 벌을 내려 주소서. 저들에게 하늘의 권능을 보여 주신다면 저희는 저 무도한 자들과 함께 지옥의 구렁텅이로 빠져도 상관없나이다. 주님이 승리할 수만 있다면 저희조차 주님의 발아래 으깨어진다고 해도 기쁜 마음으로 받아들이겠나이다. 나중에 저들의 입에서 공포와 절망, 후회의 비명이 터져 나오더라도 그때는 이미 늦었음을 깨닫게 해주소서!

이어 그들은 미세레레를 불렀다. 음 하나하나가 소돔

에 떨어진 유황비를 내려 달라는 외침이자, 삼손이 블레셋 사람들의 신전 기둥을 무너뜨릴 때 보여 준 힘을 내려 달라는 호소 같았다. 그들은 찬송하고 기도했다. 어깨 맨살에 채찍을 내려치며 간청했다. 그러다 줄줄이 무릎을 꿇고 엎드리더니 허리춤까지 옷을 내린 뒤 피를 갈망하는 등짝에다 가시 박힌 채찍을 휘둘렀다. 내려치는 채찍에는 핏방울이 묻어났고, 등에서는 핏줄기가 흘러내렸다. 채찍질 한 번 한 번이 모두 신에게 바치는 제물이었다. 스스로를 매질하는 방법 중에 아직 시도하지 않은 것이 남아 있기라도 하다면, 지금 신이 보는 앞에서 스스로 온몸을 갈기갈기 찢어 버릴 수만 있다면 얼마나 좋을까! 신의 계명을 어기고 죄를 범한 이 육신은 벌을 받고, 학대당하고, 없어져야 했다. 그들은 자신들이 이 몸을 얼마나 증오하는지 신에게 보여 주고 싶었다. 자신들이 신의 마음에 들기 위해 지금 얼마나 개가 되었는지, 개보다 얼마나 더 하찮은 존재가 되었는지, 또는 신의 발바닥 밑 먼지를 핥아먹는 천한 벌레가 되었는지 신에게 알려 주고 싶었다.

몸뚱이에 채찍을 내려치던 가련한 인간들은 풀썩 쓰러지거나, 아니면 경련으로 몸을 뒤틀며 괴로워했다. 그들은 이제 줄줄이 누워 있었다. 눈에서는 광기가 번뜩였고, 입에서는 거품이 일었으며, 찢겨져 나간 살점에서는 피가 흘러내렸다. 이 광경을 본 베르가모 사람들은 갑자기 심장이 요동치고, 얼굴이 화끈 달아오르는 것을 느꼈다. 숨조차 쉬는 것이 힘들었다. 서늘한 무언가가 머리 가죽 아래에서 팽팽하게 죄어 오는 듯했고, 무릎에서는 힘이 빠졌다. 이 장면이 깊은 충격으로 다가왔다. 그들의 뇌에는 이런 광기를 이해하는 또 다른 광기의 지점이 있었기 때문이다.

고요한 경건함이나 행동 없는 잔잔한 기도가 아니라 도취된 자기 학대와 피, 울부짖음, 그리고 선혈이 낭자한 채찍 속에서 스스로를 거룩한 신의 노예로 느끼고, 신의 발아래로 몸을 던지고, 그로써 신의 품에 안기는 이런 광경을 베르가모 사람들도 충분히 이해할 수 있었다. 이제는 백정조차 잠잠해졌고, 치아가 없는 두 철학자조차 두리번거리는 자기 학대자들의 눈앞에서 백발의 고개를 숙였다.

교회 안에 정적이 흘렀다. 다만 군중들 속으로 희미한 물결이 일었을 뿐이다.

그때 미지의 대열 가운데 한 사람이 일어났다. 젊은 수도사였다. 얼굴은 수의처럼 창백했고, 새까만 두 눈은 달구어진 숯처럼 형형했으며, 고통에 단련된 음울한 입가의 선은 인간의 얼굴이 아닌 나무에 박힌 도끼처럼 단호했다.

그는 병들어 보일 만큼 앙상한 두 손을 하늘로 뻗으며 기도했다. 검은 수도복의 소매가 희고 마른 팔을 타고 흘러내렸다.

그가 입을 열었다.

지옥에 대한 말이었다. 천국이 영원하듯 지옥도 영원하다. 지옥은 모든 죄인이 영원히 벗어날 수 없고, 비탄의 울부짖음만 울려 퍼지는 고통의 외딴 세계다. 그곳엔 유황의 바다가 있고, 외투처럼 늘 걸쳐야 하는 전갈과 불꽃의 들판이 있다. 그리고 발갛게 달구어진 불줄기가 마치 쇠꼬챙이처럼 죄인의 몸을 뚫고 들어가 상처를 헤집으며 계속 돌아갈 것이다.

정적이 감돌았다. 다들 수도사의 말을 숨소리 하나 내지 않고 들었다. 그가 마치 지옥을 직접 두 눈으로 본 사람처럼 말하고 있었기 때문이다. 그래서 다들 속으로 이런 생각을 했다. 혹시 저 사람은 지옥의 실상을 우리에게 증언해 주려고 지옥에서 우리에게 보낸 수많은 죄인들 가운데 하나가 아닐까?

이어 수도사는 율법에 대해, 율법의 지엄함에 대해 한참 동안 설교했다. 율법의 모든 조항은 충실히 지켜져야 한다. 자신의 잘못으로 그 율법을 하나라도 어기면 낱낱이 경중에 따라 심판을 받게 될 것이다. 「물론 그대들은 그리스도가 우리의 원죄를 대신해 죽으셨으니 우리는 더 이상 율법에 예속되지 않는다고 말할 것이다. 그러나 나는 분명히 말할 수 있다. 지옥은 그대들의 얕은 속임수에 넘어가지 않을 것이고, 고문 바퀴의 그 어떤 강철 톱니도 그대들의 살을 비켜 가지 않을 것이다! 그대들은 골고다의 십자가에 의지하고 있구나. 오라, 오라! 와서 보라! 나는 그대들을 십자가 아래로 안내하리라. 그대들이 알 듯 그날은 금요일이었다. 그들은 그리스도를 문에서 내쫓았고, 십자가의 가장 무거운 쪽을 그리스도의 어깨에 올려놓은 뒤 그것을 지고 도시 앞의 메마른 진흙 언덕으로 올라가시게 했다. 그들은 떼를 지어 뒤따랐고, 발밑에서 회오리처럼 피어오른 먼지가 마치 붉은 구름처럼 언덕 위에 자욱했다. 그들은 그리스도의 옷을 찢어 벌거벗겼다. 법의 주인들이 고문에 넘겨질 죄인의 맨살을 만인이 볼 수 있도록 하기 위해서. 그들은 그리스도를 십자가 위에 눕혀 사지를 뻗게 한 다음 저항하는 양손과 양발에 쇠못을 박았고, 마지막에는 머리에도 몽둥이로 못을 쑤셔 넣었다. 그런 다음 땅에 미리 파놓은 구멍에다 십자가를 넣고 일으켜 세웠다. 그런데 십자가가 단단히 서 있지 않고 흔들거리자 그들은 십자가를 조금씩 움직이더니 쐐기와 말뚝을 구멍의 빈틈에 박아 넣었다. 이 작업을 했던 사람들은 그리스도의 양손에서 흘러내리는 피가 눈에 들어가지 않도록 모자챙을 꾹 눌러 썼다. 이제 그리스도는 십자가 위에서 자신의 찢어진 옷을 나눠 가지려고 주사위를 굴리는 병사들을 내려다보셨고, 자신이 대신 고통받음으로써 구원하려고 했던 저 미쳐 날뛰는 군중을 굽어보셨다. 이 무리 중에 연민의 시선을 보내는 이는 하나도 없었다. 밑에 있던 인간들은 십자가에 힘없이 매달려 고통스러워하는 그리스도를 올려다보았다. 그리스도의 머리 위에 있는 〈유대인의 왕〉이라고 적힌 나무판도 쳐다보았다. 그들은 그리스도를 조롱하며 소리쳤다. 〈너는 신전을 허물고 사흘 만에 다시 신전을 지을 수 있다면서? 그럼 지금 너 자신을 구해 봐. 네가 하느님의 아들이라면 십자가에서 내려와 보라고!〉 순간 하느님의 독생자로 태어나신 그리스도는 격분하셨고, 저들이, 대지를 채운 저 무리가 구원할 가치가 전혀 없는 족속임을 간파하셨다. 그래서 그리스도는 못에서 발을 뜯어내셨고, 십자가에 묶인 양팔을 팽팽하게 잡아당겨 못을 뽑아 버리셨다. 그러고는 땅 위로 훌쩍 뛰어내려 자신의 옷을 병사들에게서 낚아채셨다. 그 바람에 주사위는 골고다 언덕 위로 굴러 내려갔다. 이어 그리스도는 제왕과 같은 노여움으로 몸을 날려 하늘로 올라가셨다. 그리고 텅 빈 십자가만 남았다. 속죄라는 위대한 사업은 완수되지 못한 것이다. 하느님과 인간 사이엔 어떤 중개자도 없다. 우리를 위해 십자가에 못 박혀 죽은 예수라는 이는 없다. 우리를 위해 십자가에서 죽은 구세주 같은 것은 없다. 우리를 위해 십자가에 못 박혀 죽은 예수는 없다!」

그는 여기서 입을 다물었다.

마지막 말을 마치고 그는 군중들 위로 몸을 내밀었다. 흡사 입술과 양손으로 자신의 말을 군중들의 머리 위로 날려 보내려는 듯이. 공포의 신음이 곳곳에서 터져 나왔고, 일부에선 흐느낌 소리도 흘러나왔다.

그때였다. 백정이 양손을 위협적으로 쳐들고 앞으로 나왔다. 얼굴은 시체처럼 파리했다. 그가 소리쳤다. 「수도사여, 수도사여, 그럼 당신이 이제 십자가에 못 박혀 죽어야 해, 당신이 죽어야 해!」 백정 뒤에서 날카로운 목소리들이 힘을 보탰다. 「맞아, 맞아. 십자가에 매달아라! 그놈을 십자가에 매달아라!」 모두의 입에서 터져 나온 이 위협적인 명령조의 말은 아우성의 폭풍이 되어 아치형의 천장에까지 닿았다. 「십자가에 매달아라! 십자가에 매달아라!」

이어 몇몇 떨리는 목소리가 맑고 분명하게 이어졌다.

「그놈을 십자가에 매달아라!」

그러나 젊은 수도사는 치켜든 손과 사납게 일그러진 얼굴들을 물끄러미 내려다보았다. 거칠게 소리치는 사람들의 얼굴에 시커먼 입 구멍과 흥분한 맹수처럼 하얗게 반짝거리는 이빨이 드러났다. 그는 황홀경의 순간에 하늘로 두 팔을 뻗더니 웃음을 터뜨렸다. 그러고는 제단을 내려갔다. 그의 무리는 유황비 깃발과 텅 빈 새까만 십자가를 다시 들고 교회 밖으로 나갔고, 장터를 지나 성문을 나섰다.

구베르가모 사람들은 산을 내려가는 그들의 모습을 멍하니 바라보았다. 담장으로 둘러싸인 가파른 길은 저 멀리 평원에 내려앉은 해의 잔광으로 희뿌옜다. 도시의 붉은 성벽 위에서 보니 무리 속에서 물결처럼 흔들리는 커다란 십자가의 그림자는 검은색의 선명한 윤곽을 띠고 있었다.

멀리서 노랫소리가 울려 퍼졌다. 한두 개 깃발이 연기로 꺼멓게 그을린 신베르가모의 황폐한 시가지에서 붉게 빛나는가 싶더니 무리는 빛이 비치는 평원 속으로 사라졌다.

안개 속의 총성

스타우네데의 자그마한 초록색 방은 일렬로 쭉 이어진 나머지 방들을 연결할 통로용으로 만든 것이 분명해 보였다. 그건 진주 색깔의 벽 패널 따라 놓여 있는, 등받이가 낮은 의자들만 보아도 알 수 있었다. 오래 앉아 있는 용도로 사용하려면 그런 의자를 갖다 놓지 않는 법이다. 어쨌든 벽 한가운데에는 사슴뿔이 걸려 있었는데, 벽의 다른 곳들과 달리 유난히 밝은 그 지점의 형태를 보니 예전에 타원형 거울을 걸어 놓은 자리가 틀림없었다. 벽의 한 고리에는 긴 연두색 리본이 달린 챙 넓은 여성용 밀짚모자가 걸려 있었다. 오른쪽 구석에는 엽총 한 자루와 산부채 화분이 있었다. 다른 쪽 구석에는 낚싯대 묶음이 놓여 있었는데, 그 끈 하나에는 장갑 한 켤레가 대롱대롱 매달려 있었다. 방 한가운데에는 다리 아래쪽이 도금된 작고 둥근 테이블이 있었고, 테이블의 까만 대리석판 위에는 커다란 양치식물 꽃다발이 놓여 있었다.

때는 늦은 오후였다. 햇빛이 위쪽의 창문을 통해 우람한 황금색 기둥 모양으로 쏟아져 들어와 이 양치식물 위에 내려앉았다. 양치식물 중 몇몇은 아직 싱싱한 초록빛을 띠고 있었지만, 대부분은 이미 시들었다. 물론 그렇다고 완전히 말라비틀어지거나 원래의 형태를 잃은 상태는 아니었지만, 본래 품고 있던 초록빛은 옅은 노란색에서부터 짙은 적갈색까지 다양한 색조로 서서히 변해 가는 중이었다.

스물다섯 살쯤 된 청년이 창가에 앉아 이 재미있는 색상들을 뚫어지게 바라보고 있었다. 옆방 문은 활짝 열려 있었는데, 거기엔 날씬한 젊은 여자가 피아노를 치고 있었다. 피아노는 열린 창문 가까이에 있었고, 난간이 낮아 앉은 상태에서도 바깥의 풀밭과 길이 창 너머로 훤히 보였다. 바깥에서는 맵시 있는 승마복을 입은 한 젊은 남자가 열심히 백마를 길들이고 있었다. 이 기사는 그녀의 약혼자로서 이름은 닐스 브뤼데였다. 그녀는 이 집의 딸이었다. 지금 약혼자가 타고 있는 말도 그녀의 소유였다. 옆방의 남자는 그녀의 고종사촌 헤닝이었다. 헤닝의 아버지는 베그트루프에서 자식에게 빚만 남기고 죽은 가난한 지주였다. 그에 관해서는 평생 좋은 말이 나오지 않았고, 사실 좋은 말을 들을 자격도 없었다. 아무튼 이 농장의 주인인 스타우네데 린은 헤닝을 아들로 받아들였고, 교육 비용을 부담했다. 그렇다고 무슨 큰돈을 들여가며 가르친 것은 아니었다. 헤닝은 머리가 똑똑하고 공부에도 관심이 많았지만 견진 성사를 받자마자 김나지움을 나와야 했고, 농사일을 배우기 위해 스타우네데의 집으로 돌아왔다. 지금은 이 농장에서 일종의 관리인 역할을 맡고 있었지만, 그에 걸맞은 권위는 전혀 없었다. 헤닝이 집안일에 사사건건 참견하는 것을 이 집의 주인인 린 노인이 허용하지 않았기 때문이다.

전체적으로 보면 헤닝의 위치는 퍽 고약했다. 농장의 상황도 좋지 않았다. 하지만 그런 상황을 개선하려는 시도는 없었고, 그럴 수도 없었다. 돈이 없었기 때문이다. 그러다 보니 이웃 농장에 뒤지지 말아야겠다는 생각조차 하지 못했다. 그건 시간이 갈수록 더했다. 모든 것이 그저 오래전부터 해왔던 대로 굴러갔다. 가능한 한 변화 없이 최대한 이 상태를 유지하려고 했다. 그래서 상황이 안 좋을 때는 현금을 확보하려고 땅을 팔아 치워야 했다.

어쨌든 이런 농장 일에 시간과 에너지를 쏟는 것은 재능 있는 젊은이에게는 정말 슬픈 일이었다. 게다가 린 노인은 성질이 불같고 붙임성이 없는 사람이었다. 자신이 큰 아량을 베풀어 불쌍한 어린 조카를 받아들였다고 생각했던 터라 헤닝을 배려할 마음은 애초에 조금도 없었다. 그래서 한번 심사가 꼬이면 자신이 얼마나 가난에 쪼들리던 아이를 거두어 키웠는지 아느냐며 노골적으로 화를 퍼부었다. 그러다 진짜 화가 치밀면 맞는 말이기는 하지만 정말 인정머리 없이 헤닝 아버지의 생전 행적을 들먹이며 조카를 욕보였다.

슐레스비히 아래 지방에서 제법 큰 목재상을 하는 미혼의 숙부가 벌써 여러 차례 조카를 데려가려고 했지만 헤닝이 번번이 거절했다. 이 집의 딸이 없는 곳에서 사는 것은 생각할 수도 없었던 것이다. 그는 그만큼 그녀를 사랑하고 있었다. 그러지만 않았어도 그는 벌써 오래전에 스타우네데의 삶을 청산했을 것이다. 물론 행복한 사랑은 아니었다. 아가테도 그가 싫지는 않았다. 어릴 때는 자주 함께 놀았다. 어른이 되어서도 마찬가지였다. 하지만 1년 전쯤 어느 날, 그가 아가테에게 자신의 마음을 털어놓았을 때 그녀는 얼굴을 붉히며 화를 냈다. 그러고는 말했다. 지금은 이 말을 철없는 농담으로 받아들이겠지만, 두 번 다시 비슷한 말을 해서 자신이 헤닝을 미친 인간으로 취급하는 일이 없었으면 한다고 말이다.

사실 이런 식의 굴욕적인 취급은 한두 번이 아니었다.

그녀는 늘 그런 식으로 그를 대했고, 그는 그것을 감수했다. 그녀에 대한 사랑 때문이었다. 그녀는 늘 그를 무시하는 눈빛으로 바라보았고, 천한 계급으로 여기는 듯했다. 그냥 하는 일이 하찮아서라기보다 감각과 고결함 면에서 천하다고 생각했다.

그러고 얼마 뒤 그녀는 브뤼데와 약혼했다.

지난 넉 달은 헤닝에겐 지독히 고통스러운 나날이었다. 하지만 떠나지는 않았다. 그는 그녀를 자기 사람으로 만들 수 있다는 생각을 포기할 수 없었다. 언젠가 무슨 일이 일어날 거라고 희망했다. 물론 실제로 그런 일이 일어날 거라고는 생각하지 않았다. 다만 저 두 사람의 연결 고리를 끊어 버리는 아주 기이한 일이 생길 거라고만 상상했다. 이 환상이 현실이 될 거라고는 믿지 않으면서. 그는 그녀를 여기 머무는 구실로 삼았다.

「아가테!」 밖에서 말을 타던 청년이 열린 창문 앞에 말을 세우며 소리쳤다. 「당신도 봤어? 이제 우린 호흡이 꽤 잘 맞아.」

아가테가 창문 쪽으로 고개를 끄덕거리더니 계속 피아노를 치면서 말했다. 「봤죠. 저기 가막살나무 덤불에서 넘어질 뻔하는 걸.」 이 말이 끝나자마자 그녀는 고음 부분을 빠른 속도로 연주했다.

「자, 출발! 어서 달려!」 이제 그녀의 손가락은 말발굽 소리를 내고 달리듯 건반 위에서 빠르게 움직였다.

약혼자는 가지 않았다.

「안 가요?」

「오전 내내 거기서 피아노만 칠 건가?」

「예.」

「그럼 나는 하게스테드 농장에 갔다가 점심때 돌아오겠어. 괜찮겠어?」

「예, 서둘러요. 안녕, 백마야, 안녕, 닐스!」

그는 말머리를 돌려 달렸다. 그녀는 창문을 닫고는 피아노 연주를 계속했다. 하지만 오래가지 않았다. 그가 밖에서 말을 타고, 초조함을 드러낼 때 훨씬 연주하는 맛이 났기 때문이다.

헤닝은 말을 타고 달리는 사람의 뒤를 바라보았다. 증오하는 인간이었다. 저 인간만 없었더라면……. 아가테와 브뤼데는 전혀 어울리지 않았다. 둘을 잇는 실에 매듭 하나만 꼬여도 서로의 본모습을 그대로 드러낼 사람들이었다.

아가테가 초록색 방으로 들어왔다. 방금 연주한 야상곡의 멜로디를 흥얼거리면서. 그녀는 양치식물 꽃다발을 정리하려고 작은 테이블로 갔다. 햇빛이 정확하게 그녀의 손을 비추었다. 크고 희고 아름다운 손이었다. 헤닝은 늘 이 예쁜 손에 매료되었다. 오늘은 소매가 넓은 옷을 입고 있어서 팔꿈치까지 둥근 팔이 보였다. 손은 부드러운 살이 적당히 올랐고, 눈부시게 희었고, 모양이 힘찼으며, 근육의 움직임이 섬세했고, 움직임이 우아했다. 특히 그런 손으로 머리를 쓸어 올릴 때는 정말 물결치듯 아름다웠다. 다만 무언가를 잘못 만지거나 잡을 때 손이 펄쩍 놀라 긴장할 때는 얼마나 안타까운지 몰랐다. 그런 움직임에는 맞지 않은 손이었다. 그저 짙은 비단옷의 무릎에 다소곳이 놓여 있는 것이 훨씬 잘 어울렸다.

가만히 서서 양치식물 다발을 정리하는 그녀의 얼굴에 무심한 행복감이 어려 있었다. 헤닝을 매료시키는 표정이었다. 아, 자신에게 모든 빛을 앗아 간 저 여인의 삶은 어찌도 저리 밝고 가벼울 수 있을까? 만일 그가 그녀의 이런 투명한 고요함을 방해하거나 그녀의 길에 작은 그림자를 드리우면 그녀는 그의 사랑을 발아래에 내동댕이치고, 마치 죽은 인간을 보듯 얼른 자리를 뜨고 말 것이다. 사랑을 갈망하고 행복을 원하지만 대답 없는 사랑의 괴로움으로 몸부림치는 인간은 안중에도 없다는 듯이 말이다.

「이제 그 친구는 보레뷔로 가는 중일지도 몰라.」 그가 창밖으로 시선을 돌리며 말했다.

「무슨 소리야! 하게스테드 농장으로 간다고 했잖아.」

「글쎄, 보레뷔는 가는 길에서 멀지 않거든.」

「뭐? 거긴 가는 길이 아냐.」

「물론 아니지. 하지만 그 친구는 여전히 거길 자주 들락거리지 않을까?」

「어딜?」

「보레뷔. 산림 관리인 집 말이야.」

「처음 듣는 이야기인데. 그 사람이 거길 왜 가?」

「그냥 수다나 떨려고 갈 수 있지. 그 집 딸이 아주 예쁘거든.」

「그런데?」

「이거 참! 모든 남자가 수도승은 아냐.」

「무슨 얘길 하고 싶은 거야?」

「그냥 모든 남자가 그렇다고. 물론 그 친구는 좀 더 조심할 수는 있겠지.」

「대체 무슨 소릴 하는 거야?」

「흠…… 밀회…… 그리고 그런 만남에서 일상적으로 일어나는 일들?」

「거짓말! 그런 말을 하는 사람은 하나도 못 봤어. 넌 지금 마음대로 지어내고 있어.」

「그렇게 생각한다면 왜 꼬치꼬치 물어봐? 내가 그냥 혼자 좋으라고 그 친구가 보레뷔의 아가씨와 밀회를 즐긴다고 얘기하는 줄 알아?」

그녀가 양치식물 다발을 내려놓더니 그에게 다가갔다. 「네가 이렇게까지 비열한 인간인 줄은 몰랐어, 헤닝.」 그녀가 말했다.

「그래, 이해해. 당연히 화가 나겠지. 그 친구가 그렇게 함부로 처신하는 인간이라면 어떻게 불쾌하지 않겠어?」

「그만해, 헤닝! 넌 정말 비열하고 천박해. 네 거짓말은 안 믿어!」

「거짓말이 아냐.」 그는 이렇게 말하고는 시선을 깔았다. 「사실 둘이 키스하는 걸 보지는 못했어.」

아가테는 몸을 내밀며 경멸한다는 듯 그의 뺨을 때렸다.

그는 얼굴이 시체처럼 하얘졌다. 눈빛은 병든 개 같기도 하고 모욕당한 남자 같기도 했다. 아가테는 두 손으로 얼굴을 감싸고 열린 문으로 걸어갔다. 그러다 문가에서 걸음을 멈추었고, 현기증이 이는지 잠시 중심을 잡고는 어깨 너머로 그를 돌아보며 차갑고 차분하게 말했다. 「헤닝, 분명히 말하지만 나는 방금 내 행동을 후회하지 않아.」

그러고는 나갔다.

헤닝은 한참 동안 마치 마비된 사람처럼 서 있었다. 그러다 자기 방으로 비틀거리며 걸어가 침대에 몸을 던졌다. 자신이 역겨웠다. 이제 모든 것이 끝났다. 지금 이 순간 가장 현명한 행동은 자신의 머리통에다 총알을 박아 넣는 것이다. 짓밟힌 개처럼 평생을 납작 엎드려 겁먹은 눈빛으로 살 수는 없었다. 그건 안 될 말이었다. 그녀는 그의 뺨을 후려침으로써 그를 노예로 낙인찍었다. 그녀가 옳았다. 그런 비열하고 천박한 행동에는 달리 대처할 방법이 없었다. 아, 그는 그녀를 얼마나 사랑했던가! 정말 미친 듯이 뜨겁게 사랑했다. 하지만 남자가 아니라 개처럼 사랑했다. 성화(聖畫) 앞에 무릎을 꿇듯 그녀의 발밑에 개처럼 엎드려 사랑했다. 둘이 언젠가 정원에 함께 있을 때였다. 그녀는 나무에 자기 이름을 새기고 있었다. 그때 바람이 불어 그녀의 머리카락이 휘날렸다. 그는 몰래 다가가 그녀의 나풀거리는 머리에다 입을 맞추었다. 그러고는 며칠 동안 행복해했다. 그의 사랑에는 남성적인 용기와 기쁜 희망이 한 번도 없었다. 그는 모든 점에서, 그러니까 사랑이든, 희망이든, 증오든 모든 점에서 노예였다.

아가테는 왜 자신의 말을 믿지 않고 닐스만 맹목적으

로 믿는 것일까? 그는 지금껏 그녀에게 거짓말을 한 적이 없었다. 이번 일이 그의 유일한 비천한 행동이었다. 게다가 그녀는 그것을 즉시 알아보았다. 왜 그랬을까? 그녀는 애초에 그에게 오직 천함과 비열함밖에 기대하지 않았기 때문이다. 그녀는 그의 마음을 한 번도 이해하려고 하지 않았다. 그가 스타우네데의 이 지루하고 비통한 삶을 견뎌 내고 있는 것이 누구 때문인가? 오직 그녀 때문이었다. 빵 한 조각을 씹을 때도 이게 주인의 아량으로 주어지는 적선처럼 느껴져 늘 괴로워했다. 이 생각만 하면 거의 미칠 지경이었다. 삶에 대한 이 지독한 인내와 사랑에 대한 굴욕적인 희망 때문에 그는 스스로를 증오했다. 자신을 이렇게 만든 그녀도 죽이고 싶었다. 이제 그는 복수를 가슴에 품었다. 자신이 겪은 기나긴 굴욕의 세월과 고통의 시간을 그녀에게 똑같이 되돌려 주고 싶었다. 잃어버린 자존감에 대한 복수였고, 노예적 사랑에 대한 앙갚음이었고, 자신의 뺨을 때린 것에 대한 설욕이었다. 그는 예전엔 사랑의 꿈에 부풀어 있었다면 지금은 복수의 꿈에 사로잡혔다. 그래서 총으로 스스로 목숨을 끊지도 않았고, 이곳을 떠나지도 않았다.

이삼 일이 지난 오전이었다. 혜닝은 엽총과 사냥 가방

을 들고 정원에 서 있었다. 막 출발하려고 하는데 닐스 브뤼데가 말을 타고 왔다. 마찬가지로 사냥 복장이었다. 두 사람은 서로 별로 호감을 느끼지 않는 사이였음에도 다정하게 인사를 나누었고, 이렇게 우연히 함께 사냥에 나서게 된 것을 무척 기쁘게 생각하는 듯이 굴었다. 그들이 향한 곳은 〈뢰네〉였다. 피오르 어귀 건너편의 섬이었다. 히스꽃이 만발한 꽤 크고 평평한 이 섬에는 가을이 되면 물범이 자주 나타났다. 녀석들은 해안에서 물속까지 펼쳐진 낮은 모래톱에서 몸을 뒹굴거나, 육지에서 가까운 커다란 바위에 누워 잠을 잤다. 사냥 목표는 이 물범이었다. 목적지에 도착하자 두 사람은 헤어져 해안을 따라 각자의 길을 갔다. 잿빛 안개 때문에 많은 물개가 섬으로 몰려왔다. 두 사람은 서로의 총소리를 들었다. 시간이 갈수록 안개는 점점 짙어졌다. 정오경에는 섬 전체와 피오르 일대까지 안개가 자욱하게 내려앉아 스무 걸음만 떨어져도 바위와 물범을 구분하는 것이 어려웠다.

헤닝은 해변에 앉아 안개 속을 멍하니 바라보았다. 온 세상이 고요했다. 단지 나직이 철썩거리는 파도 소리와 외로운 도요새의 불안한 울음소리만 가끔 짓누르듯이 무거운 정적을 깨고 공중으로 울려 퍼졌다.

그는 이 모든 생각에 지쳤다. 희망에 지쳤고, 증오에

지쳤고, 꿈에 질렸다. 여기 가만히 앉아 졸린 듯이 앞을 멍하니 바라보며 세상을 마치 저 멀리 아득한 곳, 저 멀리 높은 곳에 있는 것으로 상상했다. 여기 가만히 앉아 그렇게 시간을 조금씩 흘려보냈다. 가슴속에 평화가 서서히 퍼져 나갔다. 복된 희열에 가까운 감정이었다. 그때 안개 속을 뚫고 노랫소리가 울려 퍼졌다. 행복하고 환희에 찬 목소리였다.

> 5월에 나는 신부를 데리러 가네,
> 장미는 붉고, 백합은 미소 지어,
> 어이, 거기 유랑 악사, 악기를 연주해 봐!
> 그럼 숲은 초록빛으로 물들고,
> 보름달은 세계를 따라 흐르고,
> 해는 찬란하게 비칠 거야.
> 뻐꾸기는 저 멀리 대지를 향해 울고,
> 나는 이제 황금빛 행복을 찾았어.
> 근심은 집에 고이 남겨 둔 채.

닐스 브뤼데의 맑은 목소리였다. 헤닝은 벌떡 일어났다. 마음속에서 증오가 번개처럼 치솟았다. 두 눈은 불탔고, 입가엔 음산한 미소가 피어올랐다. 이어 엽총의 개머리판을 뺨에 갖다 댔다.

근심은 집에 고이 남겨 둔 채.

이 노랫말이 다시 한번 울려 퍼지는 순간 그는 소리가 나는 안개 속으로 총구를 겨누었고, 마지막 단어와 거의 동시에 총이 발사되었다. 이내 세상은 다시 예전처럼 고요해졌다.

헤닝은 연기가 나는 엽총을 땅에 짚으며 후들거리는 다리를 버텼다. 숨을 멈추고 귀를 기울였다. 아, 얼마나 다행인가! 들리는 것이라고는 철썩이는 파도 소리와 놀란 갈매기들의 비명뿐이었다. 그러나 아니었다. 저기 안개 속에서 신음이 들렸다. 헤닝은 땅에 몸을 던져 얼굴을 히스꽃에 묻고, 귀를 막았다. 그는 일그러진 얼굴을 똑똑히 보았다. 경련이 일어난 것처럼 사지가 움찔거렸고, 심장이 뛸 때마다 가슴에서 붉은 피가 쿨럭쿨럭 걷잡을 수 없이 쏟아졌다. 갈색 히스꽃을 붉게 물들인 피는 잎과 줄기를 타고 흘러내려 검은 뿌리 사이로 스며들었다.

헤닝은 고개를 들고 귀를 기울였다. 여전히 신음이 들렸다. 하지만 다가갈 용기는 나지 않았다. 안 돼! 안 돼! 그는 입으로 히스꽃을 뜯고, 두 손으로 흙을 마구 파헤쳤다. 마치 숨을 곳이라도 찾는 것처럼. 그는 미친 사람처럼 바닥을 뒹굴었다. 하지만 상황은 끝날 기미를 보이지 않았다. 신음은 여전히 들려왔다.

마침내 조용해졌다. 그는 한동안 누워 귀를 기울이더니 안개 속을 엉금엉금 기어갔다. 무언가를 확인하기까지는 한참이 걸렸다. 이윽고 야트막한 언덕 발치에서 물체를 발견했다. 브뤼데였다. 숨은 이미 끊겨 있었다. 헤닝이 쏜 총알은 정확히 심장을 꿰뚫었다.

헤닝은 섬을 가로질러 시신을 보트로 옮겼다. 이리로 올 때 타고 온 배였다. 그는 뭍으로 노를 저었다. 시신을 본 순간부터 흥분은 착 가라앉았고, 대신 고요하고 먹먹한 슬픔이 밀려왔다. 그는 삶의 덧없음을 생각했고, 집에 돌아가서 브뤼데에게 닥친 이 삶의 덧없음을 어떻게 설명할지만 생각했다.

뭍에 도착하자 그는 수레를 빌리려고 한 농가에 들어갔다. 농가 주인은 어쩌다 사고가 났는지 물었다. 헤닝의 입에서는 마치 미리 준비라도 한 것처럼 이야기가 술술 흘러나왔다. 브뤼데는 섬의 서쪽 외곽에서 엽총을 들고 언덕으로 살금살금 기어가는 중이었다. 그런데 공이치기 잠금쇠가 풀렸는지, 아니면 총기 내부 어딘가에 뭔가가 잘못 걸렸는지 올라가던 중에 총알이 저절로 발사되었다. 헤닝은 총소리를 듣는 순간 자신들이 서로 가까운 곳에 있음을 알아채고 브뤼데를 불렀다. 그런데 대답이 없자 불안한 마음에 총소리가 난 곳으로 달려갔고, 언덕 아래에 쓰러져 있는 브뤼데를 발견했다. 이미 죽은 상태였다.

그는 이 모든 것을 차분하고 낮은 어조로 이야기했다. 말하는 내내 일말의 죄책감도 들지 않았다. 두 사람이 시신을 들어 짚더미를 깔아 놓은 수레에 내려놓았을 때 시신의 고개가 옆으로 툭 떨어지더니 판자에 부딪혀 둔중한 소리가 났다. 순간 헤닝은 정신이 아찔해질 정도로 놀랐다. 둘이 수레를 끌고 보루프를 거쳐 하게스테드 농장에 닿았을 때 그는 속이 메스꺼웠다.

시신을 넘기고 난 뒤 처음 든 생각은 얼른 이곳을 도망치는 것이었다. 하지만 그는 극강의 극기심을 발휘해 장례식이 끝날 때까지 여기 남았다. 기다리는 동안 그의 얼굴에는 열병과도 같은 불안이 어른거렸다. 게다가 원인을 알 수 없는 이상한 공포에 사로잡혀 생각은 어느 것 하나에 고정되지 못하고 이리저리 쉴 새 없이 움직였다. 도저히 멈출 수 없는 이런 쉼 없는 생각의 소용돌이와 선회 때문에 그는 미치기 일보 직전에 이르렀다. 그래서 혼자 있을 때면 숫자를 끝없이 세거나, 발로 박자를 맞추며

콧노래를 불렀다. 이런 식으로라도 해야 생각을 포박하고, 그로써 자신을 공포와 무기력으로 몰아넣는 생각의 원무에서 벗어날 수 있었기 때문이다.

마침내 장례식이 끝났다.

이튿날 헤닝은 목재상을 하는 삼촌을 찾아가 밑에서 일하게 해달라고 부탁했다. 당시 삼촌은 이래저래 퍽 우울한 상황에 처해 있었다. 오랫동안 집안일을 맡아 왔던 집사가 한 달 전에 죽었고, 최근에는 횡령을 이유로 가게 지배인을 해고했기 때문이다. 그러다 보니 헤닝의 등장은 삼촌에겐 참으로 반가운 일이 아닐 수 없었다. 헤닝은 정말 열성적으로 일했고, 그렇게 1년이 지나자 가게 지배인 자리까지 꿰찼다.

4년 뒤 많은 변화가 일어났다. 삼촌이 죽고, 헤닝이 단독 상속자로 삼촌의 가산을 물려받았다. 스타우네데의 린 노인도 하늘의 조상들에게로 돌아갔다. 그런데 빚이 너무 많아 농장은 처분할 수밖에 없는 상황이었고, 농장을 팔고 나자 아가테에게 떨어진 몫은 거의 없었다. 스타우네데 농장의 새 주인은 바로 헤닝이었다. 목재상을 처분하고 다시 농장 경영으로 돌아간 것이다. 하게스테드 농장은 닐스 브뤼데에 이어 클라우센인가 뭔가 하는 사람이 물려받았는데, 얼마 뒤 아가테와 결혼한다고 했다. 아가테는 이제 목사의 집에서 살고 있었는데, 예전보다 훨씬 아름다웠다. 헤닝은 달랐다. 어떤 면으로 보나 행복이라는 말은 도저히 입에 담을 수 없는 모습이었다. 그사이 폭삭 늙었고, 얼굴선은 날카로웠고, 걸음걸이는 힘없이 구부정했다. 말도 별로 없었고, 하더라도 기어들어 가는 목소리로 나직이 하고 말았다. 눈에는 이상한 느낌의 흐릿한 광채가 어른거렸고, 시선은 불안하고 거칠었다. 혼자 있을 때는 몸짓까지 섞어 가며 혼잣말을 자주 했다. 그래서 이 지방 사람들은 그가 술을 너무 많이 마셔서 그렇게 됐다고 생각했다.

하지만 그건 아니었다. 이유는 다른 데 있었다. 밤이건 낮이건, 집이건 농장이건, 시간과 공간을 가리지 않고 그의 머릿속에서는 닐스 브뤼데를 죽인 것에 대한 생각이 떠나지 않았다. 이런 끝없는 불안 속에서 정신과 능력은 시들어 갔다. 왜냐하면 그 생각은 후회나 어두운 고통의 형태가 아니라 활활 불타오르는 생생한 공포, 즉 끔찍한 섬망의 형태로 찾아왔기 때문이다. 그러면 시선이 혼란스러워지면서 모든 것이 움직였다. 세상 만물이 강물처럼 흐르고, 비처럼 뚝뚝 떨어지고, 이상한 개천처럼 졸졸 흘러 내려갔다. 색깔도 창백한 빛이나 검붉은 핏빛으로 계속 바뀌었다. 그러다 가슴을 죄어 오는 순간이 찾아왔다. 마치 무언가가 자신의 모든 혈관을 빨아들이고, 모든 신경 섬유를 잡아당기는 듯한 느낌이었다. 가슴은 숨도 쉬지 못할 정도의 공포로 헐떡거렸다. 그런데도 파리한 입술에서는 살려 달라는 외침이나 마음의 짐을 덜어 줄 한숨은 새어 나오지 않았다.

이런 환각의 원인은 살인에 대한 생각이었다. 그는 이 생각을 두려워했고, 그 때문에 시선은 불안정했고 걸음걸이는 힘이 없었다. 그렇다, 그에게서 기력을 앗아 간 것은 이 두려움이었다. 그에게 남은 힘은 오직 증오의 힘밖에 없었다. 그는 아가테를 증오했다. 그의 영혼이 이렇게 밑바닥까지 추락한 건 그녀에 대한 사랑 때문이었다. 삶의 행복도 사랑 때문에 망가졌고, 마음의 평화도 사랑 때문에 파괴되었다. 하지만 그녀를 더 증오하게 만든 이유는 따로 있었다. 그들 두 사람이 만들어 낸 이 고통과 불행에 대해 정작 그녀 자신은 아무것도 모르고 있다는 것이었다. 그가 위협적인 몸짓과 함께 내뱉는 혼잣말의 내용은 대부분 그녀에 대한 복수와 그것을 실행에 옮길 계획이었다. 하지만 밖으로는 전혀 그런 내색을 하지 않았다. 아가테에게 다정하게 대해 주었고, 혼수도 장만해 주었으며, 나중에 결혼식 때는 그녀의 손을 잡고 교회 제단까지 인도했다. 이런 친절은 결혼식이 끝난 뒤에도 식지 않았다. 그는 클라우센에게 틈나는 대로 도움을 주고 조언을 했다. 심지어 몇몇 사업에 함께 투자해서 큰돈을 벌기도 했다. 그 뒤 헤닝은 투기사업을 그만두었지만, 클라우센은 이제 제대로 재미를 붙였다. 헤닝은 이후에도 그런 그에게 조언과 행동으로 도와주겠다고 약속했고, 실제로 그 약속을 지켰다. 그는 클라우센에게 상당한 금액의 돈을 빌려주었고, 클라우센은 계속 이런저런 투기사업을 벌려 나갔다. 일부 사업에서는 돈을 벌었지만, 돈을 잃은 경우는 더 많았다. 하지만 더 많은 돈을 쏟아부을수록 더욱 투기에 빠져들었다. 한 번만 크게 성공하면 단숨에 큰 부자가 될 것 같았다. 그런 기대와 함께 그는 투기사업에 더 많은 돈을 집어넣었고, 헤닝은 그런 그를 계속 도와주었다. 그런데 마지막 사업에서는 손을 뺐다. 클라우센의 눈에는 정말 좋은 기회로 보이는 사업이었다. 하지만 고비가 찾아왔고, 이것을 넘기지 못하면 파산할 수도 있었다. 클라우센은 대금을 지불할 수 없는 상황에 이르자 헤닝의 이름으로 어음을 몇 장 발행했다. 의심하는 사람은 없었고, 곧 큰돈이 들어올 거라고 믿었다.

그러나 사업은 실패했고, 클라우센은 파산 상태에 내몰렸다. 어음 만기일이 코앞까지 다가왔다. 이제 남은 방법은 하나뿐이었다. 클라우센은 아가테를 스타우네데로 보냈다. 헤닝은 그녀를 보고 깜짝 놀랐다. 얼마 전에 첫 아이를 낳은 그녀의 모습이 많이 상해 있었기 때문이다. 밖에서는 추적추적 비까지 내리고 있었다. 그는 그녀를 초록색 방으로 안내했고, 그녀는 실패한 사업과 어음 건에 대해 이야기했다.

헤닝은 고개를 절레절레 흔들며 차분하고 부드럽게 말했다. 그녀가 뭔가 오해한 게 분명하다. 남의 이름으로 어음을 발행하는 일은 있을 수 없다. 그건 범죄 행위다. 그것도 법에 따라 감옥에 들어가야 할 중대 범죄다. 그런 일을 그녀의 남편이 했을 리 없다.

그녀의 대답은 이랬다. 아니다, 자신은 남편을 오해하지 않았다. 그게 범죄 행위라는 건 자신도 잘 안다. 그 때문에 도와 달라고 이렇게 찾아온 것이다. 만일 어음 발행 건에 대해 헤닝이 눈을 감아 준다면 곧 모든 것이 잘될 것이다.

헤닝이 말했다. 그리 되면 자신이 어음 대금을 지불해야 한다. 그럴 수는 없다. 자신은 이미 스스로도 힘에 부칠 만큼 큰돈을 클라우센의 사업에다 넣었다. 이제 더는 그럴 수 없다.

그녀는 울면서 간청했다.

헤닝은 요지부동이었다. 클라우센 때문에 엄청나게 큰 손해를 본 자신의 입장을 헤아려야 한다. 그의 사업이 실패했다는 말을 들었을 때 정말 누군가 자신의 뺨을 후려친 것 같은 충격을 받았다. 이 말을 하다 보니 오래전에 그녀가 자신의 뺨을 때린 일이 떠오른다. 기억이 나는가? 안 난다고? ……그가 브뤼데와 관련해서 그녀를 자극한 날이었다. ……정말 기억나지 않는다고? 그럴 수는 없다. 분명 기억할 것이다. 그녀는 그날 격분해서 그의 뺨을 때렸다. 바로 이쪽 뺨을.

그래서 도와줄 수 없다고?

그의 말이 이어졌다. 이 방에서 있었던 일이다. 아, 지금과 다른 시절이었다. 이상한 시절이었다. 그가 그녀에게 구혼했던 순간도 기억난다. 그때 만일 그녀가 그의 구혼을 받아들였더라면…… 지금 와서 이런 말이 무슨 소용이 있겠는가! 바보 같은 소리다. 브뤼데는 미남이었다. 그런 사람이 그렇게 비극적으로 죽다니!

그녀가 물었다. 그래서 이젠 정말 출구가 없다고?

어음 건만 생각해서는 안 된다. 지금 클라우센은 그녀를 이용하고 있다. 그녀를 보내 어떻게든 자신을 구슬려서 이 위기에서 벗어나려고 한다. 그건 비열한 짓이다. 클라우센은 무척 교활하고 간사한 인간이다.

그녀가 대답했다. 사실대로 말하자면 그녀가 헤닝으로부터 긍정적인 답을 듣고 돌아가지 않으면 클라우센은 미국으로 도망칠 게 분명하다. 이리로 출발할 때 남편이 보에르 기차역으로 출발할 마차를 준비해 놓은 것을 보고 왔다.

헤닝이 답했다. 그럴 수는 없다. 자신은 클라우센을 그런 인간으로 보지 않았다. 자신을 반복해서 도와준 사람을 곤경에 빠뜨리는 건 정말 비열하고 천한 짓이다. 게다가 혼자만 살겠다고 아내와 죄 없는 아이까지 버리는 것은 분노할 일이다. 정말 나쁜 인간이다. 사람들은 이렇게 말할 것이다. 불쌍한 아가테! 불쌍한 아가테!

그녀는 그의 발밑에 무릎을 꿇고 애원했다. 「헤닝, 헤닝, 제발 우리를 도와줘. 우리에게 자비를 베풀어 줘!」

「골백번 얘기해도 내 대답은 똑같아. 안 돼! 내 이름을 더럽히고 싶지 않아. 범죄자를 도울 순 없어!」

결국 그녀는 떠났다.

헤닝은 자리에 앉아 보에르 경찰서에 편지를 썼다. 자신의 이름으로 어음을 위조한 클라우센이 역에 나타나면 체포해 달라는 내용이었다. 파발꾼이 편지를 들고 보에르로 달려갔다.

저녁에 그는 클라우센이 출발했다는 소식을 들었다.

이튿날엔 그가 보에르에서 체포되었다는 소식이 전해졌다.

아가테는 집에 돌아오자마자 몸져누웠다. 얼마 전 간신히 신병을 이겨 낸 뒤로 여전히 몸이 쇠약했던 데다 긴장과 심적 충격을 견디기 어려웠던 것이다. 그러다 남편이 경찰에 체포되었다는 소식을 듣고는 완전히 무너져 버렸다. 병은 심각한 열병 형태로 빠르게 진행되었고, 사흘 뒤 스타우네데로 그녀의 사망 소식이 전해졌다.

헤닝은 장례식 전날에 하게스테드 농장으로 갔다. 안개 낀 우중충한 날이었다. 곳곳의 나무에서 나뭇잎이 우수수 떨어졌고, 대기 중에는 흙냄새가 코를 질렀다.

그는 영안실로 인도되었다. 창문은 흰 천으로 가려져 있었고, 시신의 머리맡에는 초가 몇 개 켜져 있었다. 화관의 꽃향기와 관의 니스 냄새가 질식할 듯 무겁게 내려앉은 방 안에 가득 퍼져 있었다.

현실적인 느낌이 들지 않는 흰 수의를 입고 관 속에 누운 그녀를 보는 순간 그는 엄숙한 기분이 들었다. 얼굴은 흰 천으로 덮여 있었다. 그는 천을 벗기지 않았다. 그녀의 가슴 위에는 흰 면장갑을 낀 두 손이 가지런히 포개져 있었다. 그는 그녀의 손을 잡고 장갑을 빼더니 자신의 가슴 주머니에 넣었다. 그러고는 호기심 어린 표정으로 손을 찬찬히 관찰했고, 마치 손을 데워 주려는 듯 입김을 불었다. 그는 한참을 그러고 서 있었다. 방 안은 점점 어두워졌고, 밖에서는 안개가 짙어졌다. 이윽고 그는 그녀의 얼굴 위로 몸을 숙여 속삭였다.

「잘 가, 아가테. 헤어지기 전에 마지막으로 할 말이 있어. 나는 내가 한 짓을 후회하지 않아.」

이윽고 그는 그녀의 손을 놓고 나갔다.

밖에 나오자 헛간이 보이지 않을 정도로 안개가 짙게 내려앉아 있었다. 그는 해변을 따라 집으로 돌아갔다. 복수는 끝났다. 이젠 뭘 하지? 내일은? 모레는?

사위는 고요했다. 저 밑에서 파도 철썩이는 소리만 나직이 들렸다. 자신의 심장 소리는 들리지 않았다. 하지만 심장은 뛰고 있었다. 힘없이, 약하게. 마치 한 발의 총소리 같았다. 그리고 또 한 발의 총 소리! 그는 고개를 흔들더니 옅게 웃으며 중얼거렸다.

「아냐, 두 발이 아니라 한 발이었어. 단 한 발이었어.」

그는 피곤했다. 쉬고 싶었다. 지금껏 쉴 시간이 없었다. 그는 일순 멈추어 서서 주위를 둘러보았다. 보이는 것은 많지 않았다. 안개가 마치 벽처럼 그를 에워싸고 있었다. 위쪽도 안개였고, 주변도 안개였다. 발밑은 모래였다. 등 뒤에는 자신의 발자국이 일직선으로 찍혀 있었다.

발자국은 안개가 만들어 낸 동그라미까지만 보일 뿐 더 이상은 보이지 않았다. 그는 다시 약간 걸었다. 그러나 그 동그라미의 중앙을 벗어나지 못했다. 뒤쪽, 그러니까 그가 방금 걸어온 곳에는 다시 발자국의 원이 만들어져 있었다. 이제 몹시 지쳤다. 모래 때문이었다. 발밑의 모래 때문에 걷는 게 힘들었다. 한 발 한 발 내디딜 때마다 힘을 소진해야 했다. 그랬다. 발자국은 자신의 몸에서 빠져나간 힘들이 만들어 낸 일련의 무덤이었다. 앞쪽에는 고르고 평평한 모래가 그를 기다리고 있었다. 등줄기에서 전율이 흘러내렸다. 누군가 그의 무덤을 넘어, 그의 발자국을 밟으며 걸어왔다. 저 뒤쪽 안개 속에서 여자의 옷 같은 것이 움직였다. 흰 안개 속에서 무언가 하얀 것이 움직였다. 그는 있는 힘을 다해 다시 발을 내디뎠다. 무릎이 후들후들 떨렸고, 눈앞이 캄캄했다. 그래도 나아가야 했다. 이 안개를 뚫고 계속 걸어가야 했다. 저 뒤에서 무언가 그를 끊임없이 쫓아오고 있었기 때문이다. 그것은 점점 가까워졌다. 이제 그의 몸에 남아 있는 힘은 거의 없었다. 그는 휘청거리며 걸었다. 눈앞에서 이상한 빛이 번쩍였고, 갈라지듯 날카로운 소리가 귓속을 파고들었다. 차가운 땀방울이 이마에 맺혔고, 입술은 공포로 벌어졌다. 순간 그는 모래 위로 무너져 내렸다. 형체는 없지만 알아볼 수는 있는 무언가가 안개를 뚫고 다가와 그의 몸을 천천히 무겁게 눌렀다. 그가 몸을 일으키려는 순간 희고 축축한 손이 그의 목을 잡고…….

이튿날 아가테의 장례식이 거행될 때 사람들은 관을 묻지 않고 한동안 기다렸다. 그러나 스타우네데로부터는 그녀의 마지막 길을 지켜 줄 사람이 끝내 오지 않았다.

퇸스 부인

아비뇽의 옛 교황 궁전 뒤편의 예쁘장한 공원에는 전망 벤치가 하나 있었다. 론강을 비롯해 뒤랑스강변의 꽃밭, 구릉과 초원, 그리고 도시 일부가 보이는 곳이었다.

10월의 어느 오후 덴마크 여인 둘이 벤치에 앉아 있었다. 남편을 잃고 혼자 사는 퇸스 부인과 그녀의 딸 엘리노르였다.

두 사람은 이미 며칠 동안 여기 묵고 있어서 눈앞의 전망에 익숙했음에도 벤치에 앉아 프로방스가 이런 풍경이라는 사실에 놀라워했다.

이것이 진짜 프로방스의 풍경이란 말인가. 황톳빛 강, 진창과 섞인 모래, 끝없이 펼쳐진 잿빛 자갈, 풀 한 포기 나지 않는 칙칙한 색깔의 초원, 마찬가지로 칙칙한 산비탈과 언덕, 먼지 색깔의 길, 흰 가옥들 주변의 듬성듬성 무리를 이룬 나무들, 새까만 덤불. 이 모든 것들 상공에 햇빛으로 파르르 떠는 희끄무레한 하늘이 있었다. 이 하늘 때문에 모든 것이 더 창백하고 메마르고 지쳐 보였다. 어디에도 풍요롭고 풍만한 색조는 보이지 않았고, 오직 굶주리고 메마른 색상만 있었다. 또한 대기 중에 떠도는 소리는 없었고, 풀을 베는 낫질도 없었고, 달그락거리며 지나가는 수레도 없었다. 흡사 정적으로 지어 놓은 도시 같았다. 고요한 정오의 골목길, 귀머거리처럼 먹먹한 가옥들, 집집마다 쳐진 빗장과 블라인드, 하나같이 문을 꼭꼭 닫아걸고 있어서 보이지도 들리지는 않는 집들.

퀸스 부인은 이 생기 없는 단조로움에 그저 체념의 미소만 지었다. 반면에 엘리노르는 확실히 예민하게 반응했다. 그렇다고 신경질적으로 화를 내지는 않았다. 다만 며칠 동안 추적추적 비가 내리면, 우울한 생각이 비처럼 내리지 않더라도 그렇듯이, 또는 가만히 앉아 있는데 어느 순간 그런 자신이 진절머리가 쳐질 정도로 싫어지는데도 침실 시계가 위로한답시고 바보같이 째깍거리기만 할 때처럼, 아니면 벽지의 꽃을 보고 있는데 우리 뇌 속의 의지에 반해 낡아 빠진 일련의 꿈이 비실비실 연결되고, 다시 갈가리 찢어졌다가 연결되는 현상이 무한히 반복될 때처럼 짜증이 나고 기분이 가라앉았다. 이런 풍경은 그녀에게 육체적으로 영향을 끼쳤고, 그녀를 무기력

증에 가까운 상태에 빠뜨렸다. 그래서 오늘 이 모든 것은 사라졌던 희망에 대한 기억, 지금은 지독하게 역겹지만 당시엔 생기 넘치고 달콤했던 꿈에 대한 기억, 그리고 지금 생각하면 너무 부끄러워 얼굴이 붉어지지만 결코 잊히지 않는 꿈에 대한 기억과 섞여 경계가 모호했다. 그렇다면 이 모든 것은 이 지방과 대체 무슨 관련이 있을까? 그녀가 심적 타격을 입은 것은 여기서 멀리 떨어진 곳, 그러니까 풍경이 다채롭게 바뀌는 순Sund 해협의 고향 땅이었다. 그것도 햇빛이 넘실거리는 초록빛 너도밤나무 아래에서 말이다. 그런데 그것이 이 칙칙한 언덕 위에서도 맴돌고 있었다. 녹색 덧문을 내린 집들은 가만히 자리만 지킬 뿐 그에 대해 침묵하고 있었다.

그녀가 입은 심적 타격은 젊은 여인의 심장에 남은 옛 아픔이었다. 그녀는 한 남자를 사랑했고, 그 연인을 믿었다. 그런데 갑자기 남자가 다른 여자를 택했다. 왜? 어째서? 내가 무슨 짓을 했다고? 내 마음이 바뀐 것도 아니고, 내가 어느 날 갑자기 딴 사람이 된 것도 아닌데? 이런 의문은 꼬리에 꼬리를 물고 반복되었다. 어머니에게는 아무 말도 하지 않았다. 하지만 어머니는 알고 있었고, 속으로 딸을 걱정했다. 그런 만큼 딸을 더욱 세심하게 보살폈다. 딸도 어머니의 그런 자상함을 알고 있었지만 내색

하지 않았다. 그저 세상을 향해 울부짖고 싶을 뿐이었다. 어머니는 딸의 그런 마음도 이해했다. 그래서 함께 여행을 떠났다.

오직 딸에게 실연의 아픔을 잊게 해주려는 여행이었다.

퀸스 부인은 딸의 생각이 지금 어디에 머물러 있는지 알려고 얼굴을 바라봄으로써 괜히 딸아이를 불안하게 하고 싶지 않았다. 그저 절망적으로 힘없이 벤치 바닥을 쓰는 딸아이의 작고 불안한 손을 지켜보기만 했다. 딸의 손은 마치 가만히 누워 있지 못하고 침대 위에서 쉴 새 없이 몸을 뒤척이는 열병 환자처럼 매 순간 위치가 바뀌었다. 이렇듯 어머니는 손만 보고도 딸의 심정을 헤아릴 수 있었다. 딸아이의 눈은 삶에 지쳐 앞만 멍하니 바라보았고, 고운 얼굴선은 고통으로 파르르 떨렸으며, 얼굴은 슬픔에 파리하게 잠겼고, 푸른 혈관은 부드러운 손을 지나 관자놀이까지 병적으로 불거져 있었다.

이런 딸을 지켜보는 어머니의 가슴은 찢어지는 듯했다. 마음 같아서는 당장이라도 딸아이를 가슴에 안고 무엇이건 위로가 되는 말을 해주고 싶었다. 그러나 그러지 않았다. 은밀하게 소멸되어야 하고, 말로 드러내서는 안 될 아픔이 있다고 믿었기 때문이다. 그건 딸과 어머니의 관계에서도 마찬가지였다. 그런 말은 어느 날 다시 즐겁고 행복한 일상을 구축하려는 새로운 상황에서는 장애가 될 수 있고, 거추장스럽고 무거운 짐이 될 수 있었다. 그런 말을 하는 사람은 결국 타자의 입장에서 말할 수밖에 없고, 타자의 생각에서 판단하기 때문이다.

다른 한편으로 어머니는 딸아이에게 너무 쉽게 확신을 안겨 줌으로써 오히려 딸에게 해가 되지 않을까 염려했다. 그녀는 엘리노르가 자기 앞에서 얼굴이 붉어지는 것을 원치 않았다. 그게 비록 마음의 짐을 더는 좋은 방법이라고 하더라도 내면의 가장 은밀한 부분을 타인에게 드러내야 하는 수치심을 이겨 내도록 돕고 싶지 않았다. 오히려 이 상황을 극복하는 것이 힘들어질수록 어린 딸의 건강한 고집 속에서 어머니 본인의 내적 고결함을 다시 발견하게 되는 것이 더욱 기뻤다.

옛날에, 그러니까 그녀가 열여덟 살이던 몇십 년 전 그녀 자신도 사랑에 빠졌다. 온 마음으로, 온 감각으로, 온 정신으로 삶의 모든 희망을 담아 한 남자를 사랑했다. 그러지 말아야 했는데 그러지 않을 수 없었다. 남자는 무한정 질질 끌기만 하는 약혼 기간으로 충분히 입증한 자신의 지조 외에는 내세울 게 없는 사람이었다. 이제 그녀의 집에서도 더는 기다릴 수 없는 처지가 되었다. 결국 그녀는 아버지가 정해 준 배필을 받아들였다. 이런 상황을 정리해 줄 해결사 같은 남자였다. 그들은 결혼했고, 이어 아이들이 태어났다. 여기 아비뇽에서 그녀와 동행하고 있는 〈타게〉라는 이름의 아들과 지금 그녀 옆에 앉아 있는 딸아이였다. 결혼 생활은 그녀가 예상한 것보다 한결 나았고, 한결 편안했고, 한결 원만했다. 그러다 8년 뒤 남편이 세상을 떠났다. 그녀는 진심으로 남편의 죽음을 슬퍼했다. 그사이 유약하면서도 부드러운 성품의 이 남자를 사랑하는 법을 익혔기 때문이다. 남편은 가족에 관한 일이라면 무엇이건 병적일 정도로 외골수적이고 이기적인 사랑으로 보살폈고, 저 바깥의 수많은 세상일에는 가족들이 관심을 보이는 일만 제외하고는 전혀 신경을 쓰지 않았다. 남편이 죽자 그녀는 주로 아이들을 위해 살았다. 물론 그렇다고 아이들에게만 묻혀 지내지는 않았다. 젊고 돈 많은 과부라면 누구나 그렇듯 사교 생활도 했다. 이제 아들 나이가 스물한 살이었고, 그녀는 곧 마흔이었다. 하지만 여전히 아름다웠다. 풍성한 짙은 금발에는 새치 하나 없었고, 담대하고 커다란 눈 주위에는 주름 하나 없었다. 몸매는 날씬하고 풍만했다. 물론 생기 넘치는 고운 이목구비에 세월의 흔적이 살짝 엿보이긴 했지만, 또렷한 입술이 싱긋 미소를 지을 때면 여전히 달콤함이 묻어났다. 게다가 갈색 눈의 부드러운 광채에 담긴 신비스러운 젊음은 그녀의 인상을 다시 부드럽고 다감하게 돌려놓았다. 하지만 두 볼이 진지한 느낌으로 살짝 부풀고, 턱 선에서 성숙한 여인의 강한 의지가 배어나는 것은 어쩔 수 없었다.

「분명 타게가 오는 걸 거야.」 울창한 서어나무 숲 뒤로 덴마크어로 외치는 몇몇 목소리와 웃음소리가 들려왔을 때 퇸스 부인이 딸에게 한 말이었다.

엘리노르는 정신을 차렸다.

역시 타게였다. 카스타게르 가족도 함께 있었다. 누이와 딸과 함께 코펜하겐에서 온 사업가였다.

퇸스 부인과 엘리노르는 두 여자분에게 자리를 만들어 주려고 당겨 앉았다. 신사들은 잠시 서서 대화를 나누었지만, 곧 전망대를 에워싼 돌담에 가 앉았다. 그들은 꼭 필요한 말만 했다. 방금 도착한 사람들은 장미 구경을 하러 프로방스로 기차 여행을 갔다가 막 돌아온 길이어서 피곤했기 때문이다.

「저기요!」 타게가 소리쳤다. 그러고는 밝은색의 바지를 손바닥으로 철썩 내리쳤다. 「저길 봐요!」

사람들이 타게가 가리킨 쪽으로 고개를 돌렸다.

저 멀리 갈색 풍경 속으로 먼지 구름이 일고 있었다.

그 위로 먼지 망토가 나타났고, 그 사이로 말이 보였다. 「내가 이야기했던 영국인이에요. 얼마 전에 여기 도착했죠.」 타게가 어머니에게 고개를 돌리며 말했다. 「여기서 저렇게 말을 탄 사람을 본 적이 있어요?」 타게가 카스타게르에게 물었다. 「남미 초원의 카우보이가 생각나요.」

「마제파 초원 말이요?」 카스타게르가 되물었다.

말을 탄 사람은 곧 사라졌다.

이윽고 그들은 자리에서 일어나 호텔로 돌아갔다.

퓐스 부인 일행은 벨포르에서 카스타게르 가족을 처음 만났는데, 남프랑스를 지나 리비에라로 가는 행선지가 같아서 잠시 함께 여행을 하게 되었다. 그런데 여행 중에 사업가는 아내가 하지 정맥류에 걸리는 바람에, 퓐스 부인 가족은 엘리노르에게 잠시 휴식이 필요해서 두 가족은 여기 아비뇽에도 함께 묵게 되었다.

타게는 이 예기치 않은 동행에 기쁨을 감추지 못했다. 그사이 아름다운 이다 카스타게르에게 홀딱 빠졌기 때문이다. 그러나 퓐스 부인은 영 못마땅했다. 타게가 나이에 비해 성숙하고 믿을 만한 아이였지만, 약혼을 그렇게 서두를 필요는 없다고 생각했다. 게다가 상대가 카스타게르 가족이라니! 물론 이다는 썩 괜찮은 아이였다. 카스타게르 부인도 빼어난 가문 출신의 교양 있는 사람이었다.

남편인 사업가 자신도 능력 있고 성실한 부자였다. 하지만 그에게는 뭔가 좀 하찮아 보이는 구석이 있었다. 사람들은 사업가 카스타게르의 이름을 거론할 때면 은근히 좀 비웃거나 눈짓을 주고받곤 했다. 이유는 분명했다. 그는 불같은 성격에 감탄을 잘했고, 거기다 솔직하고, 소란스럽고, 말이 많았다. 이런 점들 때문에 다들 그를 그런 식으로 대했다. 요즘은 그런 격정을 드러낼 때도 나름의 자제와 요령이 필요한 것이다. 퀸스 부인은 타게의 장인 될 사람이 남들에게 그런 식의 비웃음과 눈짓을 받는 것을 참을 수 없었다. 그래서 그 가족에게 약간 차갑게 대했고, 그게 사랑에 빠진 타게에게는 가장 큰 고민거리였다.

이튿날 오전 타게와 퀸스 부인은 시내의 작은 박물관을 관람하러 갔다. 박물관 정문은 열려 있었지만, 정작 본관 현관문은 닫혀 있었다. 문 앞에 달린 종을 쳐보았지만 소용이 없었다. 그래도 열려 있는 정문 덕분에 그리 크지 않은 안뜰은 둘러볼 수 있었다. 안뜰은 최근에 회칠한 아치형의 회랑으로 둘러싸여 있었고, 회랑의 짧고 굵은 기둥들은 검은 철주로 분리되어 있었다.

두 사람은 이리저리 거닐면서 벽을 따라 설치해 놓은

전시품을 구경했다. 로마의 묘비, 석관 잔해, 옷을 입은 머리 없는 조각상, 고래 등뼈 두 개, 그리고 건축학적으로 눈에 띄는 부분을 세세하게 살펴보았다.

모든 흥미로운 것들에는 미장이가 최근에 회칠한 붓 흔적이 남아 있었다.

이제 두 사람은 다시 출발점으로 돌아왔다.

타게는 건물 어딘가에 사람이 있나 알아보려고 계단을 뛰어 올라갔다. 그사이 퀸스 부인은 회랑을 거닐었다.

그런데 다시 정문 쪽을 향해 돌아가던 길에 맞은편 복도 끝에서 햇볕에 그을린 얼굴에 수염을 길게 기른 신사가 나타났다. 여행 안내서를 든 채 뒤로 고개를 돌렸다가 막 다시 앞으로 돌리는 순간이었다. 퀸스 부인 정면으로.

퀸스 부인은 어제 도착했다는 그 영국인일 거라고 생각했다.

「실례합니다, 부인.」 그가 인사를 하고는 무언가를 물으려고 했다.

「죄송합니다. 저도 여긴 처음입니다.」 퀸스 부인이 말했다. 「이 건물엔 아무도 없는 것 같아요. 조금 전에 제 아들이 사람이 있나 알아보려고 저 위로…….」

두 사람은 프랑스어로 말을 주고받았다.

그때 타게가 돌아왔다. 「전부 돌아봤어요. 관리인 숙소도 가봤는데, 고양이 한 마리 보이지 않아요.」

순간 영국인이 입을 열었다. 「이런 곳에서 동포를 만나다니 반갑기 그지없군요.」 이번엔 덴마크어였다.

그는 다시 인사를 하고는 몇 걸음 뒤로 물러났다. 모자의 대화를 자신이 알아들은 것을 양해해 달라는 뜻으로 보였다. 그러더니 갑자기 그 전보다 더 가깝게 쑥 다가왔다. 긴장되고 놀란 표정이 역력했다. 「어떻게 이런 일이! 이런 곳에서 아는 분을 만나다니!」

「에밀 토르브뢰게르?」 펜스 부인도 깜짝 놀라 소리치더니 손을 내밀었다.

그가 그녀의 손을 맞잡았다. 「예, 맞아요. 알아보시는군요.」 그가 반갑게 말했다. 「역시 당신이군요!」

그녀를 바라보는 남자의 눈에 물기가 촉촉했다.

펜스 부인은 자신의 아들 타게를 소개했다.

타게는 지금껏 집에서 토르브뢰게르라는 이름을 들어본 적이 없었다. 하지만 그런 생각은 떠오르지 않았고, 오직 이 카우보이가 덴마크 사람이라는 새로운 사실만 머릿속에 가득했다. 그들 사이에 잠시 말이 끊겨 누구든 말을 해야 하는 상황이 되자 타게가 말문을 열었다. 「어제 선생님을 보고 꼭 남미의 카우보이 같다는 생각을 했습니다.」

「뭐,」 토르브뢰게르가 대답했다. 「그것도 틀린 얘기는 아닙니다. 나는 지난 21년 동안 남미의 라플라타 초원에서 살았고, 거기 있는 동안 걷는 것보다 말을 타고 지낸 시간이 더 많았으니까요.」

그렇다면 이제 유럽으로 다시 돌아온 것일까?

그랬다. 그는 재산을 처분하고 키우던 양까지 넘긴 뒤 이 옛 세계, 그러니까 고향 세계를 둘러보려고 돌아왔다. 하지만 즐거움을 위해 시작한 여행이 오히려 상당히 지루할 때가 많았음을 부끄러운 마음으로 고백했다.

혹시 남미 초원에 대한 향수가 있어서 그럴까?

아니었다. 그 땅, 그 나라에 대한 향수는 한 번도 느낀 적이 없었다. 다만 그리운 것이 있다면 그곳에서의 일상적 노동뿐이었다.

이렇게 얼마간 대화가 오갔다. 마침내 박물관 관리인이 벌건 얼굴로 헐레벌떡 달려왔다. 옆구리에는 샐러드가, 손에는 빨간 토마토 자루가 들려 있었다. 이제야 그들은 텁텁한 공기의 작은 미술관으로 입장했다. 그런데 그들이 여기서 받은 인상이라고는 소나기를 퍼부을지 말지 가늠이 안 되는 누리끼리한 구름이나, 옛 화가 베르네의 검은 물결 같은 모호한 느낌밖에 없었다. 대신 헤어진 뒤로 수많은 세월이 흐르는 동안 그들이 살아온 과정과 운명에 대해 서로 이야기를 주고받았다.

토르브뢰게르는 그녀가 다른 남자와 결혼할 당시 사랑했던 사람이었다. 이날 이후 두 사람은 자주 만났다. 남들은 그런 오래된 친구 사이에는 할 말이 무척 많을 거라고 생각하고, 둘을 따로 둘 때가 많았다. 이제 두 사람은 비록 해를 거듭하면서 많은 것이 달라졌음에도 그들의 심장만큼은 아무것도 잊지 않았음을 알아차렸다.

그것을 먼저 인지한 사람은 어쩌면 남자였을 것이다. 그 옛날 청춘의 불확실성과 감수성, 청춘의 슬픈 그리움이 한 덩어리가 되어 그를 덮치면서 고통이 밀려왔기 때문이다. 지금 여행을 다니는 이 남자는 숱한 세월과 함께 간신히 얻은 삶의 평화와 안정을 이렇게 단번에 빼앗기고 싶지 않았다. 옛 사랑이 다른 모습으로 다가왔으면 했다. 좀 더 품위 있고 차분한 형태의 사랑이었으면 했다.

반면에 여자는 이 남자를 보면서 자신이 순식간에 과거로 돌아가 더 젊어진 것 같은 느낌은 들지 않았다. 다만 가슴속에 꾹꾹 눌러두어서 꽉 막혀 있던 눈물샘이 일거에 터져 콸콸 쏟아지는 듯했다. 막힌 곳을 뚫는 너무도 행복하고 시원한 울음이었다. 그녀는 이 눈물 속에서 자신이 더 소중한 존재가 되고, 세상 만물이 자신에게 더 소중해지는 것 같은 마음의 풍요를 느꼈다. 한마디로 청춘의 감정이었다.

어느 날 저녁이었다. 퀸스 부인은 혼자 호텔에 있었다. 엘리노르는 일찍 잠자리에 들었고, 타게는 카스타게르 가족과 함께 연극을 보러 갔다. 부인은 지루한 호텔방에 앉아 촛불 몇 개만 밝힌 어스름 불빛 속에서 꿈을 꾸었다. 이리저리 오가던 꿈은 마침내 멈추었고, 그녀는 피곤해졌다. 하지만 행복한 생각이 우리 영혼 속에 막 선잠을 청하려고 할 때 몰려오는 그런 부드럽고 기분 좋은 나른함이었다.

그러나 여기 이렇게 가만히 앉아 저녁 내내 멍하니 허공만 보고 있을 수는 없었다. 그렇다고 책이 눈에 들어오지도 않았다. 연극이 끝나려면 아직 한 시간은 더 남았다. 그녀는 방 안을 서성이기 시작했다. 그러다 마침내 거울 앞에 서서 머리를 정리했다.

독서실로 내려가 화보 잡지라도 뒤적여야겠다고 생각했다. 그곳은 저녁 이 시각쯤이면 늘 비어 있었다.

그녀는 커다란 검정 레이스 숄을 머리에 쓰고 내려갔다.

역시 텅 비어 있었다.

가구가 꽉 들어찬 작은 방에는 가스등 대여섯 개가 환

하게 타오르고 있었다. 방 안은 더웠고, 공기는 질식할 듯 건조했다.

그녀는 면사포를 어깨까지 내렸다.

테이블 위의 흰 종이, 금박 글자가 큼직하게 박힌 작품집, 텅 빈 비단 소파, 정사각형 무늬가 규칙적으로 나열된 카펫, 단조롭게 주름이 잡힌 커튼, 이 모든 게 환한 불빛 속에서 입을 꾹 다물고 있었다.

그녀는 아직 꿈을 꾸고 있었다. 그렇게 꿈을 꾸면서 길게 소리를 뱉어내는 가스등의 노랫소리에 귀를 기울였다.

방 안의 열기 때문에 현기증이 날 것 같았다.

몸을 지탱하려면 뭐라도 잡아야 했다. 그녀는 벽의 까치발에 올려놓은 크고 무거운 청동 꽃병으로 천천히 손을 뻗어 꽃무늬로 장식된 꽃병 가장자리를 잡았다.

이러고 서 있으니 편했다. 청동의 서늘함이 기분 좋게 다가왔다. 거기다 또 다른 느낌이 더해졌다. 그녀는 자신이 지금 빠져 들어간 이 아름답고 입체적인 자세를 자신의 몸에 대한 만족스러운 기쁨으로 느끼기 시작했다. 이 자세가 자신에게 얼마나 잘 어울리는지 서서히 의식되었다. 마치 조화의 육체적인 지각 같았다. 이 모든 것이 하나의 승리감으로 합쳐져 야릇한 축제의 환호처럼 온몸으로 퍼져 나갔다.

순간 그녀는 스스로 아주 강해진 듯했다. 삶은 이제 위대하고 찬란한 날처럼 그녀 앞에 펼쳐져 있었다. 더 이상 적막하고 우울한 황혼으로 나아가는 그런 날이 아니었다. 매 순간 뜨겁게 고동치고, 환희의 빛이 넘실대고, 활기 찬 행동이 빠르게 잇따르고, 자신의 안쪽이건 바깥쪽이건 무한함이 펼쳐진 그런 위대하고 깨어 있는 시간 같았다. 그녀는 삶의 충만함에 감격했고, 여행자가 길을 떠날 때의 설레고 뜨거운 열정으로 그 충만함을 갈망했다.

그녀는 이런 생각에 빠져 한참을 같은 자세로 서 있었다. 주변의 모든 것은 완전히 잊어버렸다. 그러던 어느 순간 마치 이 방 안의 정적과 가스등의 노랫소리라도 들은 것처럼 갑자기 꽃병에서 손을 내리고는 테이블에 앉아 화보 작품집을 뒤적이기 시작했다.

문 앞을 지나가는 발소리가 들렸다. 그러다 잠시 후 지나가던 발이 되돌아와 문 앞에 멈추었다. 이어 토르브뢰게르가 방으로 들어왔다.

그들은 몇 마디를 주고받았다. 하지만 그녀가 화보 작품에 열중하고 있는 것 같았기에 그도 앞에 놓인 잡지를 보기 시작했다. 그러나 둘 다 잡지에는 별로 관심이 없는 게 분명했다. 얼마 뒤 그녀가 잡지에서 눈을 들었을 때 자신을 유심히 바라보는 그의 눈과 마주쳤기 때문이다.

그는 막 무슨 말을 하려는 사람처럼 보였다. 그것은 초조한 듯 움찔거리는 입가의 움직임에서 알 수 있었다. 그것도 발설하자마자 그녀의 얼굴을 화끈 달아오르게 할 말이 분명했다. 그녀 역시 그것을 눈치챘는지 본능적으로 그 말을 막으려고 그림 한 장을 얼른 테이블 위로 내밀었다. 성난 황소들에게 올가미를 던지는 남미 대초원의 카우보이 그림이었다.

그는 올가미 투척에 대한 화가의 상상력이 얼마나 빈곤하고 순진한 것인지 농담을 섞어 가며 설명할 수 있었다. 그건 그가 조금 전에 하려고 했던 말에 비하면 너무 쉬운 일이었다. 하지만 그는 그림을 단호하게 옆으로 밀치고는 테이블 위로 약간 몸을 내밀며 말했다. 「우리가 다시 만난 이후로 당신 생각을 많이 했습니다. 아니, 늘 당신 생각만 했습니다. 그 옛날 덴마크에 있을 때도, 저 바다 건너편에 있을 때도 그랬던 것처럼. 나는 당신을 항상 사랑했습니다. 우리가 다시 만나서 그 감정이 되살아난 건 아닐까 하는 생각이 가끔 들기는 했지만 그건 진실이 아닙니다. 지금의 사랑이 얼마나 크더라도 말입니다. 왜냐하면 나는 항상 당신을 사랑했기 때문이지요. 항상 변함없이 당신을 사랑해 왔기 때문이지요. 당신이 내 사람이 되어 준다면, 당신이 나를 떠난 그 오랜 세월을 딛고 이제 다시 돌아와 준다면 그게 나한테는 어떤 의미일지 당신은 상상조차 못할 겁니다.」

이어 그는 잠시 침묵하더니 자리에서 일어나 그녀에게 다가갔다.

「한마디라도 해주세요. 나는 지금 닥치는 대로 말하고 있습니다. 하지만 꼭 낯선 사람에게 말하고 있는 것 같습니다. 내 말을 당신의 심장에다 반복해야 할 통역사에게 말하는 느낌입니다. 내 말이 당신에게 어떻게 다가가는지…… 모르겠습니다. 당신이 내 말을 어떻게 생각하는지 가늠할 수도 없습니다. ……내 말이 당신의 가슴에 얼마나 멀게 느껴지는지, 얼마나 가깝게 다가가는지 나는 알 수가 없습니다. 내 마음을 가득 채우고 있는 이 흠모의 정을 어떤 말로 표현할지 엄두가 나지 않습니다. 그걸 표현해도 될까요?」

그는 그녀 옆의 의자에 앉았다.

「어떤 두려움도 이겨 내고 말하건대 내 마음은 진실합니다. 오, 신이시여, 파울라 당신에게 축복을 내리소서!」

「우리를 또다시 그렇게 오래 떼어놓을 수 있는 것은 이제 이 세상 어디에도 없어요.」 그녀가 이렇게 말하며 손을 내밀었다. 「무슨 일이 있어도 나는 행복해질 권리가 있어요. 내 본능에 충실하게 살고, 내 그리움과 꿈을 실현하며 살 권리가 있어요. 나는 그걸 결코 포기하지 않았어요. 비록 내 삶에 행복이 찾아오지는 않았더라도 나는 삶이 오직 궁핍과 의무로만 이루어져 있다고는 생각하지 않았어요. 행복한 사람들도 있다는 걸 깨달았어요.」

그가 묵묵히 그녀의 손에 입을 맞추었다.

그녀가 슬픈 얼굴로 말했다.「나를 좋게 생각하는 사람들은 분명 당신으로부터 사랑받는 나의 행복을 빌어줄 거예요. 하지만 그러면서도 지금의 나도 충분히 행복하지 않느냐고 말할 거예요.」

「나는 충분하지 않아요. 결코 충분하지 않아요. 당신은 나를 이렇게 떠나보낼 권리가 없어요.」

「그래요, 없어요!」그녀가 말했다.

얼마 뒤 그녀는 위로 올라가 엘리노르를 살펴보았다.

딸아이는 잠들어 있었다.

퓐스 부인은 침대에 걸터앉아 딸아이의 창백한 얼굴을 내려다보았다. 취침등의 누런 불빛 속에서 딸아이의 얼굴선은 어슴푸레 보였다.

그들은 엘리노르를 위해 기다려야 했다. 그렇게 며칠이 지나면 토르브뢰게르와 헤어져 니스로 갈 것이다. 그녀는 이번 겨울 내내 오직 엘리노르의 건강만을 보살피며 살 생각이었다.

하지만 내일은 아이들에게 자신에게 무슨 일이 일어났고, 어떤 일이 예상되는지 이야기할 것이다. 아이들이 자신의 이야기를 어떻게 받아들이든 영원히 아이들과 함께 살 수는 없었고, 그런 비밀 때문에 아이들과 헤어지는 것이나 다름없는 상태로 살 수도 없었다. 어쨌든 그런 생각에 익숙해지려면 아이들에게도 시간이 필요했다. 왜냐하면 그건 크든 작든 그들 사이의 이별을 의미하는 것이고, 그건 아이들에게 달려 있었기 때문이다. 그와 그녀의 문제와 관련해서 그들의 삶을 어떻게 정돈할지는 전적으로 아이들에게 맡겨져 있었다. 그녀는 어떤 것도 아이들에게 요구할 생각이 없었다. 오직 아이들의 선택에 맡길 뿐이었다.

거실에서 타게의 발소리가 들리자 그녀는 거실로 들어갔다.

아들은 무척 들떠 있었다. 하지만 그런 가운데에도 불안한 기색이 역력했다. 퀸스 부인은 무슨 일이 있었음을 즉시 알아차렸고, 그게 무슨 일인지도 직감적으로 간파했다.

타게는 가슴속에 있는 말을 털어놓으려고 실마리를 찾는 듯했다. 처음엔 연극에 관해 이러쿵저러쿵 산만하게 이야기를 늘어놓았다. 그러다 어머니가 다가가 아들의 이마에 손을 올려놓으며 억지로 자신을 쳐다보게 했을 때에야 비로소 속이야기를 털어놓기 시작했다. 이다 카스타게르에게 구혼을 했고, 이다가 그것을 받아들였다는 것이다.

그에 대해 두 사람은 한참 동안 이야기를 나누었다. 그런데 퇸스 부인은 대화 내내 자신의 말 속에 차가움이 배어 있음을 느꼈다. 자신도 어찌해 볼 수 없는 차가움이었다. 왜냐하면 자신이 처한 상황과 관련해서 타게에게 너무나 쉽게 공감을 느끼게 될까 두렵기도 했거니와 어쩌면 내일 자신이 털어놓을 이야기 때문에 오늘 저녁 아들의 이야기를 자상하게 들어 주는 것이 아닐까 하는 일말의 의심을 스스로 견디기 어려웠기 때문이다.

그러나 타게는 어머니의 말 속에 배어 있는 차가움을 전혀 눈치채지 못했다.

그날 밤 퇸스 부인은 잠을 설쳤다. 생각이 너무 많아서 잠을 이룰 수가 없었다. 옛 연인을 다시 만난 것은 참으로 이상한 일이었다. 게다가 다시 만났을 때 예전처럼 서로 사랑하고 있는 것도 이상한 일이었다.

하지만 다 지난 일이었다. 특히 그녀에게는 더욱 그랬다. 그녀는 이제 젊지 않았다. 젊어질 수도 없었다. 그건 겉만 봐도 알 수 있었다. 남자는 그런 그녀를 너그럽게 이해해야 할 것이고, 그녀의 열여덟 살 이후 많은 세월이 지났음을 인정하고 그에 익숙해져야 할 것이다. 그런데 다른 한편으로 그녀는 자신을 젊게 느끼고 있었다. 많은 측면에서 그랬다. 그럼에도 나이는 속일 수 없었다. 그녀는 자신의 나이를 알았고, 또렷이 의식하고 있었다. 예를 들면 많은 움직임 속에서, 표정과 몸짓 속에서, 그리고 눈짓에 반응하고 어떤 대답에 미소 짓는 방식에서 말이다. 아마 그녀는 하루에 열 번은 그렇게 나이를 드러내며 살 것이다. 내면의 젊음만큼 외모를 젊게 꾸미려는 용기가 부족했기 때문이다.

이런 생각들이 머릿속을 오갔다. 하지만 그 가운데에도 항상 똑같은 의문이 일었다. 아이들은 뭐라고 할까?

이튿날 오전 그녀는 그에 대한 답을 찾아 나섰다.

가족이 모두 거실에 앉아 있었다.

그녀는 아이들에게 무언가 전달할 말이 있다고 했다. 모두에게 큰 변화를 일으킬 수 있고, 아이들이 전혀 예상하지 못한 중요한 일이라고 했다. 그러고는 본격적으로 말을 꺼내기 전에 최대한 차분히 들어 줄 것과 처음 몇 마디에 흥분해서 경솔하게 행동하지 말아 줄 것을 당부했다. 왜냐하면 지금부터 말하는 것은 이미 굳게 마음먹은 것이기에 아이들이 뭐라고 하든 어차피 바뀌는 것은 없으리라는 점을 분명히 했기 때문이다.

「나는 다시 결혼할 생각이다.」 퀸스 부인은 이 말을 시작으로 아이들의 아버지를 만나기 전에 토르브뢰게르를 어떻게 사랑하게 되었고, 그와 어떻게 헤어지게 되었는지, 그리고 여기서 어떻게 다시 만나게 되었는지 이야기했다.

엘리노르는 울었다. 반면에 타게는 자리에서 벌떡 일어났다. 혼란스러운 표정이었다. 그는 어머니에게 다가가 무릎을 꿇더니 어머니의 손을 잡았다. 그러고는 북받쳐 오른 감정에 목이 메어 울먹이면서 어머니의 손을 자기 뺨에 비볐다. 표정 하나하나에는 이루 말할 수 없는 다정함과 그러면서도 어찌할 줄 몰라 하는 난감함이 배어 있었다.

「오, 어머니, 나의 사랑하는 어머니! 우리가 어머니에게 어떻게 했습니까? 우리는 어머니를 항상 사랑했습니다. 곁에 있든 멀리 떠나 있든 이 세상 무엇보다 어머니를 그리워했습니다. 어머니가 아니었더라면 우리는 아버지를 제대로 알지 못했을 겁니다. 어머니는 저희에게 아버지를 사랑하는 법을 가르치셨습니다. 엘리노르와 제가 이렇게 우애가 좋은 것도 어머니가 매일 우리 둘에게 한 사람이 다른 한 사람에게 얼마나 소중한 존재인지 일깨워 주신 노력 덕분이지 않습니까? 그건 우리가 가깝게 지내는 모든 사람들에 대해서도 그랬습니다. 이 모든 게 어머니 덕분입니다. 예, 모두 어머니 덕분입니다. 우리는 어머니를 흠모합니다. 어머니가 그걸 아신다면…… 아, 어머니, 어머니는 우리가 어머니의 사랑을 얼마나 갈구하는지 모릅니다. 어머니에 대한 우리의 사랑은 이 세상 무엇으로도 막을 수 없습니다. 어머니는 그 사랑을 억누르는 법도 우리에게 가르쳤습니다. 그래서 우리는 원하는 만큼 어머니 곁에 쉽게 다가가지 못했습니다. 이제 어머니는 말씀하십니다. 그런 우리를 완전히 떠나시겠다고. 우리를 완전히 제쳐놓으시겠다고! 하지만 그건 불가능합니다. 세상에서 아무리 나쁜 인간도 우리에게 이만큼 더 끔찍한 짓은 저지를 수 없습니다. 그런데도 어머니가 그렇게 하고 계십니다. 항상 우리를 위하신다는 어머니가요! 그게 어떻게 가능한가요? 어서 말해 주세요. 사실이 아니라고. 어서 말해 주세요. 진실이 아니라고. 타게, 엘리노르, 이건 사실이 아냐! 이렇게요.」

「아들아, 흥분을 가라앉히고 냉정을 되찾거라. 그렇게 힘들어하지 말거라. 너를 위해서도, 우리 모두를 위해서도.」

타게가 벌떡 일어났다.

「힘들어하지 말라고요? 어떻게요? 이보다 더 힘든 일이 어디 있다고요! 너무 끔찍하고 너무 부자연스러운 일이에요. 정말 미쳐 버릴 것 같아요! 제가 지금 어떤 상상을 하는지 짐작이나 하세요? 낯선 남자가 사랑하는 내 어머니를 품에 안고 탐하고…… 아, 어머니를 사랑하는 아들에겐 너무나 잔인한 상상입니다. 이 세상 어떤 조롱보다 더 가혹한 상상입니다. 있어선 안 되는 일이에요. 정말 그럴 수는 없어요. 그런데도 그런 일이 일어난다고요? 아들의 애절한 간청 같은 건 아무런 힘이 없어서요? 엘리노르, 그렇게 울고만 있지 말고 너도 이리 와서 어머니에게 애원을 드려 봐. 제발 우리를 불쌍하게 여겨 달라고!」

퇸스 부인은 손으로 아들을 말렸다. 「엘리노르는 그냥 내버려둬라. 그렇지 않아도 충분히 힘든 아이다. 그리고 내가 진작 말하지 않았니? 아무리 그래도 바뀌는 건 없을 거라고.」

「저는 정말 죽고 싶어요.」 엘리노르가 말했다. 「하지만 어머니, 오빠 말은 모두 사실이에요. 게다가 지금 저희 나이에 계부가 생기는 건 도저히 받아들일 수가 없어요.」

「계부라고?」 타게가 소리쳤다. 「저는 그 남자가 우리 집에 한순간이라도 머무르는 걸 절대 보고 싶지 않아요.

어머니는 제정신이 아니에요. 만일 그 남자가 집에 들어오면 우리가 나가겠어요. 그런 사람과 잠시라도 함께 지내고 싶은 마음은 없어요. 이제 어머니가 선택하세요. 우리예요, 아니면 그 남자예요? 결혼해서 덴마크로 가신다면 우리가 덴마크를 떠날 테고, 둘이 여기 남겠다면 우리가 가겠어요.」

「꼭 그래야겠니?」 퀸스 부인이 물었다.

「네, 그건 의심하실 필요 없어요. 우리가 같이 살면 어떻게 될지 상상해 보셨어요? 이다와 제가 달빛을 맞으며 테라스에 앉아 있는데, 저기 월계수 덤불 뒤에서 누군가 속삭이는 소리가 들려요. 이다가 물어요. 속삭이는 사람들이 누구냐고. 그럼 제가 대답하겠죠. 어머니와 새 남편이라고. 싫어요. 그럴 순 없어요. 그렇게 대답하는 제 모습은 절대 보고 싶지 않아요. 그게 저한테 얼마나 큰 고통일지는 지금 제 모습에서 분명히 아셔야 해요. 게다가 그리 되면 엘리노르도 분명 건강을 되찾지 못할 거예요.」

아이들이 떠나고 퀸스 부인만 남았다.

그래, 타게 말이 맞았다. 아이들에게는 분명 좋지 않은 일이었다. 이 짧은 시간 동안 자신과 아이들의 사이는 얼마나 벌어졌는가! 자신을 바라보는 아이들의 시선도 바뀌었다. 자신의 자식이 아니라 마치 죽은 아버지만의 자식인 양 굴었다. 게다가 자신의 가슴속 감정이 오로지 아이들에게 향해 있지 않음을 깨닫자마자 얼마나 쉽게 자신을 떠날 준비를 하던지! 그러나 자신은 타게와 엘리노르의 어머니만이 아니라 그 자체로 한 인간이었다. 아이들과 상관없이 자기만의 삶이 있었고, 자기만의 희망이 있었다. 그런데 어쩌면 그녀는 스스로 생각하는 것만큼 그렇게 젊지 않을 수도 있었다. 그건 아이들과의 대화 중에 깨달았다. 만일 아이들의 말에도 전혀 두려움이나 흔들림이 없었다면 그녀는 스스로를 청춘의 권리를 침해한 사람처럼 느끼지는 않았을 것이다. 사실 아이들의 말은 청춘의 오만한 요구이자 뻔뻔한 폭정이 아닐까? 사랑은 오직 우리의 일이고, 삶은 우리의 것이고, 당신네들의 삶은 오로지 우리를 위해서만 존재한다는 그런 청춘의 오만한 요구 말이다.

그녀는 나이 들어감에도 즐거움이 있음을 서서히 깨닫기 시작했다. 그건 자신이 원한 일은 아니었지만, 늙음이 마치 조금 전의 흥분 뒤에 찾아온 머나먼 평화처럼 자신에게 희미하게 미소 짓는 듯했다. 그것도 많은 갈등과 혼란을 품은 전망밖에 보이지 않는 지금 이 시점에 말이다. 아이들은 생각을 바꾸지 않을 것 같았다. 그렇다면 스스로 희망을 포기하기 전에 아이들과 계속 대화를 나누어야 했다. 가장 좋은 건 토르브뢰게르가 즉시 이곳을 떠나는 것이었다. 그가 여기 없다면 아마 아이들도 한결 덜 예민해질 것이고, 그러면 자신이 아이들을 얼마나 세심하게 배려하는지 보여 줄 수 있을 것이고, 그러면 처음의 불편함과 괴로움도 차츰 시들해질 것이고, 그러면 다시 모든 게…… 아니다, 그런다고 해서 모든 게 다시 좋아질 것 같지는 않았다.

토르브뢰게르가 그들의 서류를 정리하기 위해 덴마크로 떠났다. 일이 끝난 뒤에도 거기 잠시 머물기로 했다. 물론 그런다고 해서 문제가 해결될 것 같지는 않았다. 아이들은 어머니를 피했다. 타게는 카스타게르 부녀와 늘 붙어 다녔고, 엘리노르는 주로 병든 카스타게르 부인과 함께 지냈다. 퓐스 부인의 가족 셋만 따로 모이는 일도 있었지만, 예전의 친밀함이나 편안함은 사라지고 없었다. 수많은 화젯거리 중에서 하나를 찾아내는 것도 어려웠다. 공통의 관심이 남아 있지 않았기 때문이다. 그들은 마치 서로 함께 있는 동안만 잠시 즐기다가 곧 헤어질 사람들처럼 대화해 나갔다. 떠나려는 사람은 이미 다음 여행 목적지만 생각하고 있었고, 남으려는 사람은 예전의 일상으로 어떻게 다시 돌아갈지만 생각했다.

그들의 삶에는 더 이상 함께하는 공동체가 존재하지

않았다. 한 가족이라는 감정도 사라졌다. 가끔 다음 주나, 다음 달, 혹은 다다음 달에 할 일을 두고 이야기를 나누기도 했지만, 형식적으로만 오갈 뿐 내용에 대해서는 서로 관심이 없었다. 중요한 건 자기들 삶의 나날뿐인 듯했다. 함께하는 시간은 어떻게든 견뎌 내야 할 대기 시간처럼 보였다. 세 사람 다 속으로는 이 시간이 지난 다음에 무엇을 할 것인지만 생각했다. 왜냐하면 그들은 현재의 삶에서 확고한 토대를 느끼지 못했고, 자신들을 헤어지게 한 것을 바로잡기 전까지는 그것을 다시 세울 이유가 없었기 때문이다.

이렇게 하루하루가 지나면서 아이들은 어머니가 자신들에게 어떤 존재였는지 점점 잊어버렸다. 자신들이 부당한 일을 당했다고 믿음으로써 단 한 가지 잘못 때문에 다른 수천 가지 선함을 모조리 잊어버리는 식이었다.

가족 중에서 가장 세심한 사람은 타게였다. 그런 만큼 상처도 가장 많이 받았다. 원래 가장 많이 사랑하는 사람이 상처도 크게 받는 법이다. 타게는 자신이 원하는 것만큼 가질 수 없는 어머니 때문에 긴긴 밤 동안 눈물을 흘렸다. 그러다 자신을 끔찍하게 아꼈던 어머니에 대한 기억으로 다른 모든 서운한 감정이 일거에 사라지면 어머니를 찾아가 빌고 애원했다. 어머니가 오직 자신들의 것만 되어 주기를, 다른 남자가 아닌 오직 자신들만 바라봐 주기를. 그러나 돌아온 대답은 안 된다는 것이었다. 이 대답에 충격을 받은 타게는 차갑게 변했다. 처음엔 이 차가움과 함께 끔찍한 공허가 밀려오는 것이 두렵기도 했지만 이제는 개의치 않았다.

반면에 엘리노르의 상황은 달랐다. 특이하게도 그녀는 어머니의 행동을 죽은 아버지에 대한 배신으로 받아들였다. 그와 함께 희미한 기억밖에 없는 아버지를 물신적(物神的)으로 흠모하기 시작했다. 지금까지 아버지에 대해 들었던 모든 것을 기초로 자기만의 아버지를 생생하게 재창조해 냈고, 카스타게르에게 아버지와 타게에 대해 물었으며, 매일 밤 매일 아침 아버지의 초상이 찍힌 메달에다 입을 맞추었다. 게다가 집에 두고 온 아버지의 편지와 아버지가 생전에 쓰던 물건을 병적일 정도로 애타게 그리워했다.

이런 식으로 아버지가 엘리노르에게 중요한 존재로 떠오른 만큼이나 어머니는 하찮은 존재로 추락했다. 어머니가 한 남자에게 사랑에 빠진 것은 딸아이의 눈에는 별로 나쁠 게 없었다. 그로 인해 어머니는 더 이상 자신의 어머니가 아니었고, 실수를 모르는 사람이 아니었고, 가장 현명하고 훌륭하고 아름다운 사람이 아니었다. 그저 다른 여자들과 똑같았다. 완벽한 존재가 아니었다. 그렇다면 얼마든지 약점과 결함을 찾을 수 있고, 비판하고 평가할 수 있는 여자에 불과했다. 엘리노르는 어머니에게 자신의 불행한 사랑을 털어놓지 않은 것을 다행이라고 생각했다. 다만 그녀가 모르고 있었던 것이 있다면 그것을 털어놓지 않은 데에는 어머니의 덕이 컸다는 사실이다.

하루가 가고 또 하루가 갔다. 이런 삶은 점점 견디기 힘들어졌다. 이렇게 함께 사는 것은 고역이고 부질없는 짓이었다. 이런 삶이 그들을 가까워지게 하기는커녕 점점 멀어지게 한다는 것은 세 사람 다 똑같이 느끼고 있었다.

이제· 카스타게르 부인은 건강을 되찾았다. 그런데 그 사이 여기서 일어난 일들을 함께 겪지는 않았지만 이 가족의 사정은 누구보다 많이 알고 있었다. 다들 그녀에게 속마음을 털어놓았기 때문이다. 어느 날 카스타게르 부인은 퇸스 부인과 긴 대화를 나누었다. 퇸스 부인은 미래 계획과 관련해서 자신의 이야기를 차분하게 들어 줄 사람이 생긴 것이 기뻤다. 이 대화에서 카스타게르 부인은 자신이 아이들과 함께 니스로 가겠다고 제안했다. 그사이 퇸스 부인은 토르브뢰게르를 아비뇽으로 불러 결혼식을 올리라고 했다. 그러면 자기 남편이 여기 남아 결혼식 증인이 되어 주겠다고 했다.

퓐스 부인은 한참을 망설였다. 아이들의 생각을 아직 듣지 못했기 때문이다. 카스타게르 부인이 나서 대신 의견을 물어보았을 때 아이들은 처음엔 묵묵히 듣기만 했다. 그러다 대답을 독촉하자 아이들은 당연히 어머니가 어떤 결정을 내리든 따르겠다고만 했다.

이렇게 해서 카스타게르 부인의 제안대로 일이 진행되었다. 어머니는 아이들에게 작별 인사를 했고, 아이들은 떠났다. 이어 토르브뢰게르가 왔고, 두 사람은 결혼식을 올렸다.

정착지는 스페인이었다. 양을 키우기 위해 토르브뢰게르가 선택한 곳이었다.

둘 중 누구도 덴마크로 돌아갈 생각은 없었다.

이렇게 해서 두 사람은 스페인에서 행복하게 살았다.

퓐스 부인은 아이들에게 몇 번 편지를 썼다. 하지만 아이들은 자신들을 버린 어머니에 대한 격렬한 분노 속에서 편지를 돌려보냈다. 나중에는 그것을 후회했지만, 어머니에게 그 사실을 고백하고 사죄하는 편지를 쓰지는 않았다. 이제 그들 사이의 연결 고리는 모두 끊겨 버렸고, 남의 입을 통해서만 서로 어떻게 사는지 듣게 되었다.

토르브뢰게르와 퓐스 부인은 5년 동안 행복하게 살았다. 그러던 어느 날 부인이 갑자기 병에 걸렸다. 병은 굉장히 빠른 속도로 육신을 잠식했고, 이젠 죽음까지도 예상해야 했다. 부인의 기력은 나날이 떨어졌다. 무덤이 그리 멀리서 보이지 않던 어느 날 그녀는 아이들에게 편지를 썼다.

「나의 소중한 아이들아! 나는 너희가 이 편지를 읽게 되리라는 걸 안다. 편지는 내가 죽은 뒤에야 너희에게 도착할 테니까. 그렇다고 두려워할 필요는 없다. 너희를 질책하려는 뜻으로 이 편지를 쓰는 건 아니니까. 나는 이 편지에 너희에 대한 사랑만 한껏 담아 보낸다.

타게야, 그리고 사랑스럽고 어여쁜 엘리노르야, 이 세상에서는 항상 더 많이 사랑하는 사람이 먼저 굽힐 수밖에 없다. 내가 이렇게 너희에게 다시 손을 내미는 것도 그 때문이다. 나는 앞으로 숨이 붙어 있는 한 언제나 너희만 생각할 것이다. 나의 소중한 아이들아, 죽음을 눈앞에 둔 사람은 참으로 불쌍하다. 나도 그렇다. 지난 수년 동안 풍요로운 축복의 보금자리가 되어 준 이 아름다운 세상을 떠나야 하기 때문이다. 내가 앉았던 의자는 주인을 잃고 텅 빌 것이고, 내가 나간 문은 영원히 닫힐 것이고, 나는 이리로 다시는 발걸음을 하지 못할 것이다. 그래서 이 세상 모든 것을 애타는 눈으로 바라보며 나를 사랑스럽게 기억해 달라고 기도한다. 너희들에게도 간절히 부탁한다. 온 마음으로 나를 사랑해 다오. 예전에 너희가 보여 준 그 사랑 그대로 말이다. 너희가 나를 잊지 않고 기억하는 것만이 이제 내가 이 세상에서 가져갈 마지막 선물이다. 잊지 말아 다오, 그것밖에 바라는 것이 없다!

나는 한 번도 너희의 사랑을 의심해 본 적이 없다. 너희가 그렇게 분노한 것도 나에 대한 큰 사랑에서 비롯되었음을 나는 안다. 만일 나를 사랑하지 않았다면 너희는 훨씬 쉽게 나를 떠나보냈을 것이다. 그래서 당부하고 싶은 말이 있다. 언젠가 상심으로 그득한 한 남자가 너희와 나에 대해 이야기함으로써 슬픔을 덜려고 찾아오면 잊지 말거라. 그 사람만큼 나를 사랑한 사람은 없었다는 것을. 인간의 마음이 뿜어 낼 수 있는 모든 행복이 그에게서 내게로 왔다는 것을. 이제 곧 마지막 가슴 아픈 순간이 오면 그 사람은 어둠 속에서 내 손을 꼭 잡아 주겠지. 그리고 그의 말은 내가 이 세상에서 들을 수 있는 마지막 말이 되겠지.

안녕! 지금 이 말을 하지만, 이게 너희에게 들려 줄 마지막 말은 아니다. 그 말은 맨 마지막에 적고 싶구나. 나의 온 사랑은 이 말 한마디에 담겨 있다. 그 많은 세월에 대한 그리움, 너희들이 어렸을 적의 기억, 수많은 소망과 감사까지 모두 말이다. 안녕, 타게, 안녕, 엘리노르. 마지막 순간까지 잘 지내거라.

엄마가.」

여기 장미가 있었다네

여기 장미가 있었다고 한다. 커다란 연노랑 장미가.

장미는 울창한 덤불 속에서 정원 담장 너머로 치렁치렁 매달려 있었고, 길의 바퀴 자국 위로 고운 꽃잎을 무심히 흩날리고 있었다. 생기 넘치는 꽃의 풍요로움을 담은 기품 있는 빛을 발하며.

장미는 섬세하지만 공중으로 쉽게 흩어지는 향을 품고 있었다. 마치 꿈속의 전설을 감각으로 풀어내는 미지의 과일 같았다.

아니면 붉은 장미였을까?

어쩌면.

작고 둥근 강인한 장미일 수도 있었다. 아무튼 반짝거리는 붉고 싱싱한 잎을 매단 장미가 가냘픈 덩굴 속에서 담장 위로 치렁치렁 내려와 있었다. 그 모습은 마치 길 한가운데로 다가오는, 먼지를 뒤집어쓴 지친 나그네를 향한 환영 인사나 손등의 입맞춤 같았다. 이제 로마까지 몇백 미터밖에 남지 않았음을 축하하는.

나그네는 무슨 생각을 하고 있을까? 그의 삶은 어떤 모습일까?

이제 나그네는 집들에 모습이 가려졌다. 게다가 도시와 길도 잇닿은 집들에 가려졌다. 하지만 반대편으로는 전망이 제법 툭 틔었다. 거기서는 길이 완만하고 느린 곡선을 그리며 강 쪽으로 내려가더니 쓸쓸한 다리로 이어졌고, 다리 뒤로는 거대한 평원이 펼쳐졌다.

이 거대한 평원의 잿빛과 초록빛은…… 마치 그곳의 멀고 힘든 지루함이 공중으로 치솟아 올라 누군가의 어깨에 무겁게 내려앉음으로써 그 사람을 외롭고 쓸쓸하게 만들고, 추구와 그리움으로 가득 채우는 듯했다.

하지만 그리로 가는 것보다는 높은 정원 담장 사이의 이런 구석 자리에 앉아 편하게 쉬는 것이 훨씬 나아 보였다. 이곳엔 바람도 잔잔하고 온화하게 멎어 있었다. 그러니까 담장 한 귀퉁이 벤치에 앉아 햇볕을 받으며 도로 배수로의 반짝거리는 초록빛 아칸서스나 은빛 얼룩의 엉겅퀴, 또는 연노랑 가을꽃을 한가하게 바라보는 편이 한결 나아 보였다.

회색빛 긴 담장 맞은편에는 벽이 있었다. 여기저기 도

마뱀 구멍이 나 있고, 벽돌 사이의 시든 풀 때문에 균열이 생긴 벽이었는데, 바로 여기에 장미가 있었다고 한다. 장미는 길고 단조로운 담장이 장인의 솜씨가 엿보이는 커다랗고 불룩한 격자 쇠 난간으로 중단된 바로 그 지점에서 빠끔 고개를 내밀고 밖을 내다보았을 것이다. 쇠 난간은 가슴 높이가 넘는 널찍한 발코니 가장자리에 있었는데, 장미는 사람들이 담장으로 둘러싸인 정원이 지루하고 답답하게 느껴질 때면 발코니 위로 몸을 뻗어 정원에 생기를 불어넣었을 것이다.

답답하게 둘러막힌 정원에 염증을 느끼는 일은 자주 있었다.

사람들은 저 안쪽에 대리석 계단과 거친 실로 짠 태피스트리가 있는 웅장한 옛 저택을 싫어했다. 시커멓고 우람한 우듬지를 자랑하는 아주 오래된 나무들도 싫어했다. 우산소나무, 월계수, 물푸레나무, 측백나무, 떡갈나무 같은 것들이었는데, 이것들은 성장기 내내 미움을 받았다. 마치 늘 불안에 떠는 사람이 아무 사건도 일어나지 않는 일상적인 것과 가만히 서 있기만 해서 반항적으로 비치는 것들을 미워하듯이.

그런데 발코니에서는 최소한 밖을 내다볼 수는 있었다. 그래서 그들은 대대로 이곳에 서서 우두커니 밖을 내다보았다. 다들 자기만의 찬성과 반대의 입장을 갖고서. 그들은 금팔찌를 두른 두 팔을 쇠 난간 위에 올려놓았고, 비단옷을 두른 무릎을 검은 아라베스크에 바짝 밀착시켰다. 알록달록한 리본을 사랑의 신호나 밀회처럼 하늘거리면서. 예전에는 임신해서 몸이 굼뜬 여자들도 여기에 서서 터무니없는 소식을 머나먼 곳으로 보냈고, 크고 풍만하고 버림받은 여자들은 증오처럼 창백한 얼굴로 이렇게 외쳤다. 하나의 생각으로 죽음을 일으키게 해달라고, 하나의 소망으로 지옥문이 열리게 해달라고! ……여자와 남자들이었다. 항상 여자와 남자들이었다. 그중에는 비쩍 마르고 얼굴이 하얀 처녀들의 영혼도 있었다. 이들은 마치 길 잃은 비둘기 떼의 비행처럼 검은 격자 난간에 몸을 붙인 채 외쳤다. 고결한 맹금류들아, 우리를 낚아채 가 다오!

여기서 우리는 하나의 속담을 상상할 수 있다.

이 무대 배경은 속담에 매우 잘 어울리는 듯하다.

저기 발코니가 있는 벽은 처음 모습 그대로다. 길만 점점 넓어지고 확장되어 원형의 정원 길이 되었을 것이다. 중앙에는 적당한 크기의 낡은 분수가 있다. 분수대는 누르스름한 응회암으로, 물 받침대는 금이 간 반암(斑岩)으로 만든 것이다. 분수대 조각상은 꼬리가 잘리고 한쪽 콧

구멍이 막힌 돌고래인데, 다른 쪽 콧구멍에서 얇은 물줄기가 솟구친다. 분수 한쪽 옆엔 응회암과 테라코타로 만든 반원형의 벤치가 놓여 있다.

흩날리는 회백색 먼지, 틀에 넣고 찍어 낸 불그스름한 벽돌, 자르고 다듬은 다공(多孔)의 누르스름한 응회암, 물기로 번들거리고 매끄러운 짙은 반암, 생기 넘치고 얇은 은빛 물줄기, 이 물질들과 색깔은 놀랄 정도로 잘 어울린다.

등장인물은 두 명의 시동이다.

물론 특정 역사 시대의 시동이 아니다. 왜냐하면 현실 속의 이들은 우리가 아는 이상적인 시동의 모습과 일치하지 않기 때문이다. 그럼에도 그림과 책 속에 꿈처럼 등장하는 그런 시동들이다.

그런 의미에서 이들은 역사적인 효과를 자아내는 옷을 입고 있을 뿐이다.

둘 중에서 젊은 여배우는 몸에 착 달라붙고 하늘거리는 옅은 파란색 비단옷을 입고 있다. 옷에는 가문의 문장인 백합이 환한 금실로 장식되어 있다. 이 의상의 백미는 단연 백합 무늬와 수없이 달린 레이스인데, 이것들은 어떤 특정 세기를 표현하기보다는 젊고 풍만한 육신과 풍성한 금발, 잘록한 허리를 강조하려는 듯하다.

그녀는 결혼을 했다. 그러나 결혼 기간은 1년 6개월에 그쳤다. 남편과 이혼했는데, 남편의 신뢰를 무너뜨리는 짓을 저질러서 이혼하게 되었다는 소문이 돌았다. 어쩌면 그럴지도 모른다. 겉으로만 보면 그녀보다 더 순진무구한 사람은 상상할 수 없다. 하지만 그건 사랑스러운 매력을 가진 원초적인 순수함이라기보다는 오히려 잘 관리하고 잘 발달시킨 순수함이다. 누구나 단번에 알아보고, 보는 사람의 가슴에 바로 다가오고, 완결된 것에만 존재하는 강력한 힘으로 사람의 마음을 빼앗는 그런 순수함이다.

이 속담의 두 번째 여배우는 날씬하고 멜랑콜리한 사람이다. 결혼을 하지 않았고, 과거도 전혀 없다. 그녀에 대해 조금이라도 아는 사람은 없다. 그러나 마른 느낌이 들 정도로 호리호리하고 가녀린 사지, 호박(琥珀)처럼 창백하고 균형 잡힌 얼굴, 그 위에 드리운 까마귀처럼 새까만 머리, 남성처럼 굵은 목, 비아냥거리는 듯하면서도 병적인 그리움을 발산하는 매력적인 미소, 이 모든 것에는 무척 많은 이야기가 담겨 있는 듯하다. 게다가 팬지꽃의 짙은 잎처럼 여리고 반짝거리는 까만 두 눈에는 헤아릴 수 없는 무언가가 어른거린다.

그녀는 넓은 세로 줄무늬가 있는 흉갑 형태의 옅은 노

란색 옷을 입고 있다. 목깃은 빳빳이 서 있고, 앞쪽엔 황옥 단추가 달려 있다. 목깃 가장자리와 좁은 소매 부분엔 물결 모양의 가느다란 줄무늬가 보인다. 칙칙한 초록색 하의는 길지 않고 넓으며, 옆이 살짝 터져 있다. 터진 곳은 옅은 보라색이다. 상의 안엔 회색 셔츠를 입고 있다. 파란색 옷을 입은 첫 번째 시녀의 셔츠는 눈부시게 희다.

둘 다 납작한 모자를 쓰고 있다.

여기까지가 두 사람의 외모에 대한 묘사다.

이제 노란 옷을 입은 시동은 발코니에 서서 난간 너머로 몸을 내밀고 있고, 파란 옷을 입은 시동은 아래 분수대 벤치에 앉아 있다. 느긋하게 등을 기대고, 반지 낀 두 손을 한쪽 무릎에 포개 놓은 채. 그는 꿈을 꾸듯 멍하니 평원을 내다본다.

이제 그가 말한다.

「이 세상엔 여자 말고는 없어. 이해가 안 돼. ……지나가는 여자들만 봐도 여자의 창조 계열에는 마법사가 하나 있는 것 같다는 생각이 들어. 이사우라, 로사몬드, 도나 리사 같은 여자들 말이야. 옷이 여자들 몸에 휘감기는 모습이나 걸을 때마다 옷이 살짝 접히는 것만 봐도 나는 혈관 속의 피가 죄다 심장으로 몰려가고, 머릿속이 하얘지고, 아무 생각 없이 사지가 떨리고, 온몸에 힘이 쭉 빠지는 것 같아. 나의 온 존재가 단 한 번의 초조하게 떨리는 긴 그리움의 숨결로 모인다고 할까! 대체 이게 뭘까? 왜 이런 일이 일어날까? 마치 행복이 몸을 숨긴 채 내 문 앞을 지나가는 것 같아. 나는 그걸 잡아야 해. 꽉 붙잡아서 내 것으로 만들어 해. 그런데 이상한 건 그게 잡히지가 않는다는 거야. 보이지가 않거든.」

이어 발코니 위의 다른 시동이 말한다.

「로렌초, 네가 지금 여자의 발아래 무릎을 꿇고 앉아 있다고 생각해 봐. 머릿속엔 오직 그녀에 대한 생각뿐이어서 그녀가 너를 부른 이유도 잊고 있어. 너는 조용히 앉아 그녀의 사랑스러운 얼굴이 네게로 숙여지길 기다리고 있어. 그녀의 얼굴은 저 하늘의 별보다 멀리 떨어진 꿈속 구름 같지만 너의 눈에는 어찌나 가깝게 느껴지던지 너는 그녀의 표정 하나하나에, 아름다움을 타고난 얼굴선 하나하나에, 그리고 차분히 가라앉은 흰 살갗에서부터 장밋빛으로 발갛게 달아오른 홍조에 이르기까지 피부색 하나하나에 감격해. 그러면 그녀는 마치 무릎 꿇고 감탄하는 너와는 다른 세계에 살고, 다른 세계에 속하고, 다른 세계에 둘러싸인 것 같은 느낌이 들지 않을까? 이 세계에서는 축제의 옷으로 갈아입은 그녀의 생각이 네가 모르는 목표로 나아가고 있을 뿐 아니라 그녀의 사랑도

네가 가진 모든 것과 너의 세계로부터 한참 멀리 떨어져 있어. 그녀는 머나먼 것을 꿈꾸고, 머나먼 것을 소망해. 그녀의 생각 속에는 너를 위한 공간이 조금도 없는 것처럼 말이야. 그건 네가 아무리 갈망해도 소용없어. 네가 아무리 그녀에게 헌신하고, 네가 아무리 너의 목숨과 모든 것을 바치더라도 너와 그녀가 친구가 될 가능성도 거의 없고, 너와 그녀가 서로에게 속하는 일은 더더욱 없을 거야.」

「그래, 그래. 당신 말이 맞아요. 하지만…….」

그때 초록빛이 도는 노란색 도마뱀 한 마리가 발코니 가장자리를 따라 달려간다. 그러다 일순 멈추어 서서 주위를 두리번거린다. 꼬리가 움직이고…….

이제 돌멩이가 하나 있으면…….

조심해, 네 발 달린 내 애인!

소용없어. 넌 도마뱀을 맞힐 수 없어! 녀석들은 돌이 몸에 닿기 전에 날아오는 소리를 들어. 물론 깜짝 놀라기는 하겠지.

바로 그 순간 시동들이 사라졌다.

파란색 옷을 입은 그녀가 거기 예쁘게 앉아 있었다. 눈에는 진심을 담은 무의식적인 그리움이, 움직임 속에는 예감으로 가득 찬 초초함이 담겨 있었다. 또한 말을 할 때는 입가에 옅은 고통이 어른거렸다. 그런 고통스러운 표정은 노란색 시동의 부드럽고 낮은 목소리에 귀를 기울일 때 더욱 역력했다. 발코니에서 아래를 내려다보며 조롱과 공감의 어조로 도발적이면서도 사랑스러운 말을 내뱉는 그 노란색 시동의 목소리를 들을 때는 말이다.

이제 그들 둘이 마치 여기 다시 온 것 같지 않은가?

그들은 여기 있다. 없는 동안에도 그들은 이 속담에서의 자기 역할을 계속 수행했다. 두 사람은 안정을 찾지 못하고 쉼 없이 예감의 제국과 희망의 하늘을 떠다니는 불확실한 청춘의 사랑에 대해 이야기했다. 그 거대한 유일무이한 감정의 강력하고 내밀한 불덩이 속에서 정신을 차리고 싶은 마음으로 병들어 가는 사랑에 대해 이야기했다. 괴롭게 하소연하는 젊은 사람과 후회의 감정으로 슬퍼하는 좀 더 나이 든 두 사람이. 이제 나이 든 사람이 말한다. 그러니까 노란 사람이 파란 사람에게 말한다. 자신의 사랑에 여자가 응답해 줄 것을 바라지 말라고, 여자에게 사랑으로 자신을 붙잡아 달라고 안달하지 말라고.

「내 말을 믿어.」 그가 말한다. 「네가 하얀 두 팔의 포옹 속에서 발견하는 사랑은, 네 곁의 가까운 하늘처럼 느껴지는 두 눈과 네게 뜨거운 기쁨을 안겨 주는 두 입술의 사랑은 땅과 먼지에 너무 가까워. 그 사랑은 자유로운 영원한 꿈을, 시간이 지나면서 늙어 가는 행복과 맞바꾸어. 사랑은 아무리 지속적으로 젊어진다고 해도 젊음의 영원한 꿈을 에워싼 광선 하나를 매번 잃어버리게 돼. 시들지 않는 찬란한 빛을 통해. 아냐, 넌 행복해!」

「아니, 당신이 행복해요!」 파란 사람이 대답한다. 「내가 당신이라면 세계를 주겠어요.」

파란 사람이 일어나 아래쪽 평원으로 걸어간다. 노란 사람은 떠나가는 사람의 뒷모습을 슬픈 미소로 바라보며 혼잣말을 한다. 아냐, 저 사람이 행복한 거야!

그런데 파란 사람은 저 아래 길에서 다시 한번 발코니 쪽을 돌아보더니 소리친다. 모자를 살짝 들어 올리면서. 「아니, 당신이 행복해요!」

여기 장미가 있었다고 한다.

이제 이곳에 산들바람이 분다. 활짝 핀 꽃으로 무거워진 가지가 바람에 흔들려 장미 잎이 우수수 떨어지더니 떠나가는 시동 뒤로 흩날린다.

두 세계

잘차흐강은 유쾌한 강이 아니었다. 동쪽 강변에는 작은 마을이 하나 있었다. 무척 우울하고 가난하고, 이상하게 조용한 마을이었다.

마을 집들은 마치 강물 때문에 가던 길이 가로막혔지만 뱃삯이 없어 강을 건너지 못하는 불쌍한 불구 거지 떼처럼 강변 가장 외진 구석에 위치해 있었다. 통풍 환자 같은 어깨를 서로 맞댄 채로. 집들은 푸석한 목발을 잿빛 강물 속에 짚고 희망 없이 서 있었다. 돌출한 판자 지붕 아래에는 광채라고는 전혀 없는 까만 유리창이 나 있었는데, 그를 통해 사람들은 좀 더 행복해 보이는 강 건너편 집들을 증오와 질시의 눈빛으로 흘겨보고 있었다. 초록빛 평지에 단독으로, 또는 두 채씩 아늑하게 무리를 지어 여기저기 흩어져 있는 건너편 집들은 황금빛 원경 속으로 서서히 멀어져 갔다. 반면에 이 가난한 오두막들엔 광채라고는 전혀 없었다. 그것들을 둘러싼 건 짓누를 듯한 칙칙한 어둠과 침묵뿐이었다. 이런 분위기는 서두르는 법 없이 느릿느릿 흘러가면서 삶에 지친 얼굴로 넋 나간 사람처럼 웅얼대는 강물 소리 때문에 더더욱 침울하게 가라앉는 듯했다.

해가 넘어가고 있었다.

맞은편에서는 유리구슬처럼 맑은 귀뚜라미 울음소리가 벌써 대기를 채우기 시작했다. 귀뚜라미 울음은 이따금 갑자기 일었다가 강가의 얇은 갈대숲으로 이내 사라지는 미풍에 실려 이쪽으로 건너왔다.

보트 한 척이 강을 따라 내려오고 있었다.

마을 끄트머리의 한 집에서는 병약해 보이는 한 여자가 발코니 난간 너머로 몸을 내밀고 보트를 지켜보고 있었다. 햇빛을 가리려고 투명할 만큼 파리한 손을 눈 위에 대고 있었다. 보트를 싣고 내려오는 강물이 쏟아지는 햇빛으로 황금색으로 반짝거렸다. 마치 황금 거울을 타고 보트가 미끄러져 내려오는 듯했다.

맑고 어스름한 대기 속으로 밀랍처럼 창백한 여자의 얼굴이 마치 자체로 빛을 품고 있기라도 하듯 환히 드러났다. 얼굴은 어두운 밤에도 바다 물결을 환히 드러내는 물마루처럼 또렷이 보였다. 그녀는 절망적인 눈으로 불안하게 강을 주시했다. 지친 입가에는 정신 나간 사람처럼 이상한 미소가 피어올랐다. 하지만 둥글게 돌출한 이마 위의 수직 주름은 온 얼굴에 필사적인 단호함의 그늘을 드리웠다.

작은 마을의 교회에서 종소리가 울려 퍼지기 시작했다.

그녀는 해의 광채에서 몸을 돌리더니 고개를 설레설레 흔들었다. 마치 종소리를 털어 내기라고 하려는 듯이 말이다. 그러다 어느 순간 도저히 끝날 것 같지 않은 종소리에 대한 대답처럼 이렇게 중얼거렸다. 「기다릴 수가 없어. 기다릴 수가 없어.」

하지만 종소리는 그치지 않았다.

여자는 고통으로 시달리는 사람처럼 발코니에서 초조하게 서성였다. 절망의 그림자는 더 한층 깊어졌다. 그녀는 울음을 터뜨릴 수가 없어 애써 눈물을 참는 사람처럼 힘들게 숨을 내쉬었다.

여자는 벌써 수해 동안 고통스러운 병에 시달렸다. 누워 있든 서 있든 고통은 잠시도 그녀를 떠나지 않았다. 용하다는 여자는 다 찾아다니고, 성스러운 샘물이 있다면 어디든 병든 몸을 끌고 가보았지만 소용이 없었다. 그러다 마지막으로 성 바르톨레메 수도원의 9월 기도회에 참석했고, 거기서 한 늙은 애꾸눈 남자가 이런 처방을 내려 주었다. 에델바이스와 시든 운향꽃, 태운 옥수수 이삭, 교회 공동묘지의 양치식물, 그녀의 머리카락 한 움큼, 그리고 관 조각을 한 다발로 묶어 강을 타고 내려오는 건강하고 생기 넘치는 젊은 여자의 등 뒤에다 던지라는 것이다. 그러면 병은 그녀를 떠나 다른 여자에게로 옮겨 간다고 했다.

이제 그녀는 애꾸눈 노인이 처방한 다발을 품에 숨긴 채 강을 타고 내려오는 보트를 바라보고 있었다. 마법의 다발을 만든 이후 처음 있는 일이었다. 그녀는 다시 발코니 난간에 섰다. 보트는 선상의 승객 대여섯 명을 구분할 수 있을 정도로 가까워졌다. 모두 낯선 사람들이었다. 선원은 긴 작대기를 들고 뱃머리에 서 있었고, 조종간에는 한 여자가 앉아 있었다. 그 옆에는 다른 남자가 앉아 여자가 선원의 신호대로 잘 조종하는지 살펴보고 있었다. 나머지 사람들은 보트 중앙에 앉아 있었다.

병든 여자는 난간 너머로 몸을 쑥 내밀었다. 얼굴선 하나하나가 먹잇감을 노리는 맹수처럼 긴장감으로 팽팽했다. 손은 이미 가슴속에 들어가 있었다. 관자놀이의 혈관이 쿵쿵 뛰었고, 숨은 멈춘 듯했으며, 콧구멍은 실룩거렸고, 두 뺨은 발갛게 상기되었고, 크게 뜬 두 눈은 꼿꼿했다. 그 상태로 보트가 조금만 더 가까워지길 기다렸다.

여행객들의 목소리가 들리기 시작했다. 어떤 때는 또렷하게, 어떤 때는 낮은 웅얼거림으로.

「행복이란 건,」 한 사람이 말했다. 「전적으로 이교도의 상상일 뿐입니다. 신약성서 어디에도 행복이라는 말은 나오지 않아요.」

「그럼 복됨이라는 말은요?」 다른 남자가 반박했다.

「자, 자.」 이젠 다른 누군가가 말했다. 「내 말 좀 들어봐요. 대화 주제가 우리가 말하려던 것에서 한참 벗어난 것 같습니다. 처음 대화로 되돌아가는 게…….」

「좋습니다. 그러니까 그리스인들은…….」

「처음엔 페니키아인들 아니었나요?」

「페니키아인들에 대해 뭐 아는 거라도 있소?」

「없죠! 하지만 페니키아인들은 왜 항상 무시되어야 합니까?」

보트가 막 집 아래쪽에 닿았다. 순간 배에 타고 있던 누군가가 담배에 불을 붙였다. 그 불그스름한 불빛 속으로 조종간을 잡은 여자의 얼굴이 잠깐 드러났다. 생기 넘치는 젊은 처녀였다. 반쯤 벌린 입술에 행복한 미소가 담겨 있었고, 어두운 하늘을 올려다보는 맑은 두 눈엔 꿈을 꾸는 듯한 표정이 어른거렸다.

불빛은 이내 사라졌다. 순간 무언가가 물속에 참방 떨어지는 소리가 나직이 들렸다. 보트는 계속 앞으로 나아갔다.

그러고 대략 1년이 지났다. 해가 마을 벤치 뒤로 뉘엿뉘엿 넘어가고 있었다. 음울하게 불타오르는 무거운 구름을 뚫은 석양빛이 강물을 피처럼 붉게 물들였다. 평원 위로는 상큼한 바람이 불었다. 귀뚜라미 울음소리는 어디서도 들리지 않았다. 들리는 것이라고는 철썩대는 물소리와 강변 갈대를 쏴쏴 스치고 지나가는 바람 소리뿐이었다. 멀리서 보트 한 척이 강 아래로 내려오고 있었다.

아래쪽 물가에는 한 여자가 서 있었다. 1년 전 발코니에 서 있던 그 여자였다. 당시 그녀는 젊은 처녀의 등 뒤로 마법의 다발을 던지고 나서 바로 기절해 버렸다. 그 뒤로 여자의 병에 변화가 생겼다. 당시의 강한 흥분이 영향을 끼쳤을 수도 있었지만, 그 지방에 새로 부임한 빈민 구호소 의사의 치료가 도움이 되었을 수도 있었다. 아무튼 그녀는 위험한 고비를 잘 넘긴 뒤 회복기에 접어들었고, 몇 달 뒤에는 완전히 건강을 되찾았다. 처음엔 다시 건강해진 것에 대해 무한한 기쁨과 감사함을 느꼈다. 하지만 그 감정은 오래가지 못했다. 이후 낙담과 슬픔, 죄책감, 절망이 찾아왔다. 어디를 가건 보트에 타고 있던 그 처녀의 모습이 항상 그녀를 따라다녔다. 처음에는 보트에서 처음 봤을 때의 모습이었다. 그러다 처녀는 그녀 발아래 무릎을 꿇고 애원하듯이 올려다보았다. 나중에는 처녀의 모습이 나타나지 않았다. 하지만 그녀는 알고 있었다. 처녀가 지금 여기에 있다는 것을. 게다가 어디에 있는지도 알았다. 나직이 흐느끼는 처녀의 목소리가 들렸기 때문이다. 처녀는 낮에는 침대에서, 밤에는 방 한구석에서 흐느꼈다. 그러다 얼마 전부터 다시 조용히 나타났다. 처녀는 파리하고 쇠약한 모습으로 그녀 앞에 앉아 과도할 정도로 크고 이상야릇한 눈으로 그녀를 꼿꼿이 바라보았다.

오늘 저녁 그녀는 아래쪽 강가에 서 있었다. 손에 톱밥을 쥔 채 무른 진흙에다 십자가를 그리기 시작했다. 십자가 위에 십자가를 덧씌우는 식이었다. 그러다 가끔 몸을 일으켜 세우고 귀를 기울였다. 그러고 나서는 또다시 계속 십자가를 그려 나갔다.

저녁 종소리가 울리기 시작했다.

정성을 담은 십자가가 완성되었다. 그녀는 손에서 톱밥을 내려놓더니 무릎을 꿇고 기도했다. 이어 가슴 깊이까지 강에 들어가서는 양손을 모으고 검붉은 물에 몸을 맡겼다. 강물은 그녀를 받아들여 깊은 곳으로 끌고 갔고, 평소와 똑같이 느릿느릿 슬프게 계속 흘러 내려갔다. 마을을 지나고 들판을 지나.

이제 보트와 아주 가까워졌다. 배 안에는 1년 전 배를 조종하던 여자와 그것을 돕던 남자가 타고 있었다. 두 사람은 지금 신혼여행을 가는 길이었다. 남자는 조종간을 잡고 있었고, 처녀는 커다란 숄을 두르고 빨간 작은 모자를 쓴 채 보트 중앙에 서 있었다. 그러고는 돛이 없는 짧은 돛대에 기대 콧노래를 흥얼거렸다.

이윽고 배가 그 집 앞을 지나갔다. 처녀는 키잡이 남자에게 흐뭇하게 고개를 끄덕이더니 하늘을 쳐다보고 노래를 부르기 시작했다. 돛대에 기댄 채 지나가는 구름을 올려다보며.

너희 단단한 성벽,
내 보금자리는 안전하니?
내 행복의 성, 너는 튼튼하니?
우리를 슬픔으로부터 지켜 주니?
저 다리 위에 보이는 것은 뭐지?
저 붉은 구름은 어디로 흘러가지?

나는 저 인물들을 알아.

여전히 내 인생을

지배하는 사람들이야.

슬프고 침울한 옛 시절의 이 인물들이

공중에 떠 있어!

이리 와, 지나간 고통의 너희 그림자여,

여기 식탁에 앉아

황금 잔으로 마셔,

행복으로 빛나는 기쁨의 홀에서!

행복의 잔을 들어, 그것이 내게 왔으니!

잔을 들어, 행복이 슬픔을 덜어 주었으니!

행복의 잔을 들어! 이게 한낱 꿈일지라도!

모겐스

한낮의 여름이었다. 울타리 한쪽 모서리에 늙은 떡갈나무가 한 그루 서 있었다. 나무줄기는 뒤틀려 있었다. 마치 싱싱한 노란 나뭇잎과 굵게 휜 검은 나뭇가지 사이의 불협화음에 절망해서 몸을 비비꼬고 있다고 할까! 나뭇가지는 대충 그린 초기 고딕 양식의 아라베스크와 무척 비슷했다. 떡갈나무 뒤쪽으로는 울창한 개암나무 수풀이 있었다. 광택이 없는 짙은 나뭇잎은 줄기와 가지가 보이지 않을 정도로 무성했다. 개암나무 수풀 위쪽에는 쾌활해 보이는 날씬한 단풍나무 두 그루가 하늘 높이 시원하게 뻗어 있었는데, 재미난 모양으로 각진 나뭇잎과 붉은 줄기, 길게 매달린 초록빛 열매 송이가 눈에 띄었다. 단풍나무 뒤에는 숲이, 그러니까 완만한 초록 비탈이 펼쳐져 있었다. 이 숲속에서는 새들이 마치 비밀 언덕의 요정들처럼 바쁘게 들락거렸다.

이 모든 풍경은 농장 울타리 너머 들길을 따라 오다 보면 볼 수 있었다. 반면에 떡갈나무에 등을 기대고 누우면 아래쪽 길이 보였다. 실제로 지금 누군가 거기 나무 그늘에 누워 있는데, 그러고 있으면 처음엔 자신의 다리가 보이고, 다음엔 짧고 튼실한 풀이 자란 풀밭이, 다음엔 제법 큼직한 짙은 쐐기풀 덤불이, 다음엔 흰 메꽃과 울타리 발판이 있는 가시나무 산울타리가, 그다음엔 호밀밭이, 그다음엔 언덕 위쪽에 사법관 깃대가, 그리고 마지막으로 하늘이 보였다.

숨이 막힐 듯 뜨거운 날이었다. 대기는 열기로 달아올랐고, 사위는 고요했다. 나무에 매달린 잎사귀도 잠들어 있었다. 움직이는 것이라고는 저 건너 쐐기풀 위의 무당벌레밖에 없었다. 또 굳이 있다면 풀밭에 가만히 누워 마치 뜨거운 햇빛에 몸을 뒤틀 듯이 불현듯 살며시 움직이는 약간 시든 나뭇잎 정도라고 할까!

자, 이제 떡갈나무 밑의 남자로 돌아가 보자. 그는 나무 그늘에 누워 숨을 헐떡였고, 우수에 젖은 눈으로 하늘을 무심히 쳐다보고 있었다. 처음엔 콧노래를 조금 흥얼거리다가 그만두었고, 그다음엔 휘파람을 불다가 그만두었다. 몸을 이쪽으로 돌렸다가 다시 원래대로 돌렸다. 그러다 이 더위 속에서 환한 회색으로 변해 버린 두더지 언덕에 시선이 멈추었다. 갑자기 이 밝은 회색 흙더미 위에 작고 둥근 물체가 하나 나타났다. 이어 또 하나, 셋, 넷, 자꾸 늘어나더니 마침내 두더지 언덕은 짙은 잿빛이 되었다. 대기는 오직 짙고 긴 선으로만 채워져 있었고, 나뭇잎은 고개를 끄덕이며 몸을 흔들었다. 그때 무언가 툭툭 떨어지는 소리가 들리더니 이내 후드득 소리로 변해 갔다. 비가 쏟아지고 있었다.

세상 만물이 빛으로 어른거리고 번쩍거렸다. 곳곳에서 물이 분출했다. 나뭇잎과 나뭇가지, 나무줄기가 물에 젖어 반짝였다. 흙과 풀, 울타리 발판, 그 밖의 다른 모든 것에 떨어진 물방울은 수많은 미세한 진주 방울로 쪼개 흩어졌다. 여기저기 매달린 작은 물방울은 큰 물방울이 되었고, 곧 다시 다른 물방울과 합쳐져 작은 물줄기가 되어 작은 고랑 속으로 흘러 들어갔고, 거기서 다시 좀 더 큰 고랑으로 들어갔다가 작은 물줄기가 되어 나왔다. 그렇게 나온 실개천은 먼지와 톱밥, 나뭇잎 같은 것들을 싣고 내려가다가 일부를 바닥에 내려놓고는 다시 잽싸게 자기 갈 길을 갔고, 어느 지점에서 방향을 튼 뒤에는 또 다시 남은 부유물을 바닥에 내려놓았다. 꽃봉오리에 붙어 있다가 떨어진 꽃잎이 물에 쓸려 내려갔다. 건조한 날씨 때문에 거의 형체를 알 수 없던 이끼는 이제 서서히 몸을 말아 올리며 원래의 부드럽고 고슬고슬하고, 물오른 초록빛 모습으로 변해 갔고, 거의 코담배가 된 잿빛 지의류도 말려 있던 뾰쪽뾰쪽한 이파리를 펼치더니 고급 양단처럼 부풀어 오르며 비단처럼 광채를 냈다. 메꽃은 흰 화관을 한껏 펼쳐 건강을 기원하는 축배를 들며 쐐기풀 머리에다 잔을 부었다. 통통한 검은 달팽이는 느긋하게 기어가더니 흡족한 표정으로 하늘을 쳐다보았다. 그렇다면 인간은 이제 어쩌고 있을까? 남자는 모자도 쓰지 않은 채 빗속에 서 있었다. 머리카락과 눈썹, 눈, 코, 입에 고스란히 비를 맞으며 가끔 손가락으로 비를 튕겨 냈다. 그러다 이따금 춤을 출 것처럼 다리를 들어 올렸고, 머리가 너무 젖었다 싶으면 고개를 흔들어 빗물을 털어 냈다. 이윽고 그는 목청껏 노래를 불렀다. 자신이 지금 무슨 노래를 부르는지도 모른 채. 그만큼 내리는 비에 흠뻑 취해 있었다.

오 내게 어여쁜 손자가 있다면, 울랄라,
돈이 가득한 상자가 있다면,
그러면 어여쁜 딸도 있겠지, 울랄라,
집과 농장, 밭도 있겠지.

오, 내게 어여쁜 딸이 있다면, 울랄라,
집과 농장, 밭이 있다면,
그러면 어여쁜 보물도 있겠지, 울랄라,
돈이 가득한 상자도 있겠지.

남자는 가만히 서서 노래를 불렀다. 그때 저 건너편 집은 개암나무 덤불 사이에서 한 여자애의 얼굴이 빠끔 보였다. 여자애는 붉은 비단 숄의 기다란 끝부분이 다른 나뭇가지들보다 더 튀어 나온 가지에 걸려 애를 먹고 있었다. 작은 손으로 숄을 가지에서 떼어 내려 했지만, 소나기가 그 가지와 이웃 가지들을 흔드는 정도의 힘밖에 가하지 못해 성공을 거두지 못했다. 숄의 나머지 부분은 여자애의 머리에서 팽팽하게 잡아당겨졌고, 이마의 반을 가렸으며 눈 위에 그늘을 만들었다. 그러다 갑자기 튕겨 나가 나뭇잎 사이로 잠시 자취를 감추었지만, 이내 여자아이 턱 밑에서 숄의 커다란 장미 무늬와 함께 다시 나타났다. 아이는 깜짝 놀란 눈치였다. 그러나 곧 웃을 것 같은 표정이 엿보였다. 미소는 이미 눈에 담겨 있었다. 비를 맞으며 노래를 부르던 남자는 갑자기 몇 걸음 옆으로 비켜섰다. 붉은 숄이 보였다. 아이의 얼굴, 커다란 갈색 눈, 놀라서 벌어진 작은 입이 보였다. 그의 자세는 좀 애

매했다. 그는 당혹스러운 눈으로 아래쪽을 바라보았다. 바로 그 순간 낮은 외침이 공중에 울려 퍼졌고, 돌출해 있던 그 나뭇가지가 세차게 흔들렸다. 붉은 솔은 순식간에 가지에서 떨어져 나갔고, 여자애의 얼굴도 사라졌다. 이제 개암나무 덤불에서는 바스락거리는 소리만 계속 들렸다. 그는 달렸다. 이유는 몰랐다. 깊이 생각하지도 않았다. 소나기가 그의 내면에 불러일으킨 즐거움만 되살아났다. 그는 여자애의 얼굴을 향해 달렸다. 사람을 향해 달려간다는 생각은 들지 않았다. 그저 어린 여자애의 얼굴을 향해 달렸다. 오른쪽에서 바스락거렸고, 왼쪽에서 바스락거렸고, 앞쪽에서도 뒤쪽에서도, 그리고 그도 아이도 바스락거렸다. 이 모든 소리와 뛰어가는 것 자체가 그에게 힘을 불어넣었다. 이윽고 그는 소리쳤다.「얘야, 어디 있니? 말해 봐!」그는 자신의 말을 들으며 약간 당혹스러웠다. 하지만 멈추지 않고 달렸다. 그의 머릿속에 한 가지 생각이 일었다. 단 한 가지 생각뿐이었다. 그는 계속 달리며 중얼거렸다.「아이에게 뭐라고 하려고? 무슨 말을 하려고?」개암나무 덤불이 가까워졌다. 아이는 그곳에 몸을 숨기고 있었다. 덤불 사이로 아이의 옷자락이 보였다.「아이에게 뭐라고 하려고? 무슨 말을 하려고?」그는 달리면서 여전히 혼잣말을 중얼거렸다. 그런데 덤불에 이르자마자 재빨리 방향을 틀어 계속 달려 내려갔다. 똑같은 말을 중얼거리면서. 넓은 길에 닿아서도 얼마간 쉬지 않고 달렸고, 그러다 어느 순간 갑자기 멈추어 서서는 폭소를 터뜨렸다. 그러고 살며시 웃으면서 조금 더 걷다가 다시 한번 크게 웃었다. 웃음소리는 산울타리를 따라 걸어가는 내내 멈추지 않았다.

아름다운 가을날이었다. 호수로 내려가는 길은 느릅나무와 단풍나무에서 떨어진 샛노란 잎으로 완전히 덮여 있었다. 좀 더 짙은 나뭇잎이 떨어진 곳도 더러 눈에 띄었다. 호랑이 가죽 같은 이런 길을 걸으며 낙엽이 눈처럼 날리는 것을 보는 것은 참으로 흐뭇하고 편안했다. 가지에 달린 것이 별로 없는 자작나무는 한결 여리고 가벼워 보였고, 붉은 열매 송이를 무겁게 매단 마가목은 한층 풍성해 보였다. 하늘은 푸르고 또 푸르렀다. 숲은 무척 커 보였고, 나무줄기 사이로 멀리 안쪽까지 들여다보였다. 물론 이 모든 것이 곧 옛날 일이 되리라는 생각도 하지 않을 수 없었다. 이 시절의 숲과 들판, 하늘, 툭 트인 대기는 머잖아 램프와 카펫, 히아신스에 자리를 내줄 수밖에 없었다. 마차가 마을 이장 집 앞에 멈추어 서자 트라팔가르 곳에서 온 사법관은 딸과 함께 이 길을 따라 호수로 걸어 내려갔다.

사법관은 자연의 친구였다. 자연은 아주 특별한 존재로서 실존의 가장 아름다운 장신구였다. 사법관은 자연을 후원했고, 인공적인 것에 맞서 자연을 보호했다. 정원은 타락한 자연이나 다름없었다. 인간의 양식으로 조성된 정원은 미치광이 자연이었다. 자연에는 양식이 있을 리 없었다. 우리의 신은 지혜롭게도 자연을 당연히 자연 그대로의 모습으로 만들었다. 다른 방식이 아닌 오직 자연에 맞게 자연스럽게 만들었다. 자연은 구속되지 않는 존재이자, 타락하지 않는 존재였다. 그런데 인간의 타락과 함께 문명이 찾아왔고, 이제 그것은 필수적인 것이 되었다. 그리 되지 않았으면 더 좋았겠지만 말이다. 자연 상태는 완전히 다른 무엇이었다. 물론 사법관 본인도 양 가죽으로 옷을 만들어 입고, 토끼와 도요새, 마도요새, 뇌조, 노루, 멧돼지를 사냥해서 배를 채우는 것을 반대하지 않았다. 그럼에도 자연 상태는 보물이었다. 보배 같은 존재였다.

사법관과 딸은 호수로 내려갔다. 도중에 나뭇가지 사이로 반짝이는 호수를 이미 보았지만, 커다란 미루나무가 서 있는 모퉁이를 돌자 호수가 온전한 모습으로 나타났다. 시원하게 펼쳐진 넓은 수면은 거울처럼 맑았다. 파르르 떨리는 듯한 푸른 물은 혀를 날름거렸고, 여기저기

잔물결과 반짝거리는 물살이 줄처럼 뻗어 있었다. 햇빛은 매끄러운 곳에선 조용히 쉬었고, 잔물결이 치는 곳에선 파르르 떨었다. 호수는 사람들의 시선을 넓은 수면으로 잡아끌더니 물가를 따라 완만한 곡선으로 천천히 이끌었고, 날카롭게 끊긴 선을 지나 혀처럼 쏙 내민 초록빛 육지를 훑게 했다. 그런 다음 시선을 놓아 주더니 초록색 너도밤나무 숲속으로 사라졌다. 순간 사법관의 머릿속으로 배를 타야겠다는 생각이 떠올랐다. 이곳에 보트를 빌려주는 곳이 있을까?

없었다. 그런 곳은 없다고 했다. 한 사내애의 말이었다. 인근의 하얀 집에 사는 아이였는데, 돌멩이로 물수제비를 뜨고 있었다. 여긴 배가 있는 집이 없니? 사법관이 물었다. 있긴 해요. 방앗간 아저씨네 집에요. 하지만 빌릴 수 없을 거예요. 아저씨가 허락하지 않거든요. 얼마 전에 닐스가, 그 집 아들인데요, 다른 사람한테 보트를 빌려줬다가 두들겨 맞을 뻔했어요. 이젠 절대 안 빌려줄 거예요. 그 집 말고 한 군데 더 있어요. 저 위 숲 관리인 니콜라이 집에 사는 신사 분이 보트를 한 척 갖고 있어요. 밖은 새까맣고, 안은 빨갛게 칠한 멋진 배예요. 그 신사 분은 아무한테나 배를 잘 빌려줘요.

사법관과 딸은 숲 관리인 니콜라이 집으로 올라갔다.

집에서 얼마 떨어지지 않은 곳에서 니콜라이의 가족이라는 작은 여자애를 만났다. 두 사람은 여자애에게 부탁했다. 먼저 달려가서 신사 분한테 자신들을 만나 줄 수 있는지 물어봐 주겠느냐고. 아이는 마치 목숨이 달린 일인 양 두 다리가 보이지 않게 뛰어갔다. 팔까지 휘저어 가며. 그러다 문에 다다르자 높직한 계단에 한쪽 다리를 올려놓고 바지 밴드를 묶더니 득달같이 안으로 뛰어 들어갔다. 돌아온 것도 총알이었다. 아이는 등 뒤에 문 두 개를 열어 둔 채로 달려 나와 문 앞 계단에 도착하기도 전에 소리부터 질렀다. 신사 분이 곧 오실 거라고. 이어 여자애는 문 옆의 벽에 기대앉아 팔 밑으로 낯선 사람들을 유심히 관찰했다.

신사가 왔다. 크고 건장한 체격의 남자였다. 나이는 스물 몇 살쯤 돼 보였다. 사법관의 딸은 남자의 얼굴을 보는 순간 흠칫 놀랐다. 빗속에서 노래를 불렀던 그 사람이었다. 지금 남자는 잠깐 다른 세상에 있다가 온 것처럼 기이한 느낌을 풍겼다. 책을 읽다가 온 것이 분명했다. 그건 그의 눈빛과 머리카락, 그리고 어디에 둬야 할지 갈피를 못 잡는 손에서 알 수 있었다.

사법관의 딸이 태연하게 허리 숙여 인사하더니 〈뻐꾹〉 하고 말했다. 그러고는 웃었다.

「빼꾹?」 사법관이 물었다.

아니, 어찌된 일이지? 그때는 분명 어린 여자애의 얼굴이었는데! 남자는 당황해서 얼굴이 붉어졌고, 사법관이 보트에 대해 묻자 얼른 그쪽으로 화제를 돌렸다. 예, 얼마든지 빌려 드리죠. 그런데 노는 누가 저으실 건가요? 당신이 저어야죠, 하고 아가씨가 말했다. 아버지 생각은 들어 보지도 않고서. 뭐 저야 상관없습니다. 저도 가끔 남에게 폐를 끼치니까요. 세 사람은 보트로 내려갔고, 도중에 남자는 사법관에게 이런저런 설명을 했다. 그들은 호수에 닿자마자 바로 보트를 타고 나갔다. 아가씨가 편안하게 자리를 잡고 앉아 무언가 말할 기회를 찾기 전에.

「그런데,」 그녀가 입을 열었다. 「읽고 계시던 책이 상당히 박식한 내용이었던 봐요. 우리가 와서 호수 구경을 시켜 달라고 하기 전에 읽고 계시던 책 말이에요.」

「호수 구경이 아니라 노를 저어 달라고 하셨죠. 박식하다? 그 책은 기사 피에르와 아름다운 마겔로네의 이야기[1]

1 프랑스 남부 옥시타니아의 민담. 프로방스 백작 피에르가 나폴리 공주 마겔로네를 만난다. 사랑에 빠진 두 사람은 몰래 도망치지만 불운이 닥쳐 헤어지고, 그 뒤 피에르는 무슬림 여성과 사랑에 빠진다. 결국 피에르는 마겔로네와 해후하고 행복하게 살게 된다. 이 이야기는 여러 판본으로 전해지다가 독일 시인 루트비히 티크가 운문화했고, 이에 브람스가 곡을 붙여 연가곡집이 되었다.

였어요.」

「누가 쓴 책인가요?」

「그건 모릅니다. 이런 책은 대개 작가가 없어요. 황금 바퀴를 탄 비골라이스 이야기나 사냥꾼 브뤼데 이야기가 그렇듯이.」

「그런 제목은 처음 들어 봐요.」

「거기 한쪽으로만 오래 앉아 있으면 안 됩니다. 배가 기울어져요. 처음 들어 보셨다고요? 당연히 그럴 겁니다. 사람들이 아는 점잖은 책이 아니니까. 장터에서 떠돌이 가수한테 산 책입니다.」

「특이하시네요. 늘 그런 책만 읽으세요?」

「늘? 저는 책을 많이 읽지 않아요. 그나마 가장 좋아하는 책이라면 인디언이 나오는 책이죠.」

「문학 작품은요? 욀렌슐레게르[2]나 실러 같은 작가들의 책 말이에요.」

「이름만 압니다. 우리 집에도 그런 책이 서가에 가득했으니까요. 홀름 부인, 그러니까 우리 어머니를 시중 들던 홀름 부인이 아침과 저녁을 먹고 나면 그런 책을 소리 내어 읽어 줬죠. 물론 마음에 드는 내용은 아니었어요.

2 Adam Gottlob Oehlenschläger (1779~1850). 덴마크의 시인, 극작가. 낭만주의를 덴마크에 최초로 소개.

저는 운문을 좋아하지 않거든요.」

「운문을 좋아하지 않는다……. 근데 댁에 그런 책이 서가에 **가득했다**고 과거형으로 말씀하시는 걸 보니 어머니께서는……?」

「예, 돌아가셨어요. 아버지도요.」

그의 어조에 언짢음과 거부감이 약간 실려 있었다. 대화가 한동안 끊겼다. 이제 물속에서 보트의 움직임이 일으키는 수많은 자잘한 소리만 또렷이 들려왔다. 침묵을 깬 사람은 아가씨였다.

「그림은 좋아하세요?」

「제단화요? 그건 잘 모르겠군요.」

「그럼 다른 그림은요? 예를 들면 풍경화 같은 거요.」

「사람들이 그런 그림도 그리나요? 그런 게 있다면 좋아하겠죠. 그건 분명히 알아요.」

「지금 나를 놀리세요?」

「내가요? 그래요, 우리 둘 중 한 사람은 그러고 있는 것 같긴 하군요!」

「혹시 대학생이세요?」

「대학생? 어딜 봐서 내가 대학생 같죠? 아닙니다. 나는 하는 일이 없어요.」

「그래 보이지 않아요. 분명 무슨 일을 하실 것 같아요.」

「왜 그래야 하죠?」

「남들도 다 그러니까요.」

「아가씨도 뭔가를 하시나요?」

「그럼요. 그런데 당신은 여자가 아니시군요!」

「아닌 게 천만다행이네요!」

「감사할 일이군요! 」

그는 노 젓기를 멈추고 노를 물 밖으로 약간 빼내더니 그녀의 얼굴을 바라보았다.

「무슨 얘기를 하고 싶으신 거죠? 나한테 화를 낼 이유는 없어요. 그래요, 난 이상한 인간입니다. 당신은 절대 이해하지 못하겠지만. 당신은 내가 좋은 옷을 입고 있어서 뭔가 근사한 일을 하는 사람이라고 생각했겠죠. 그래요, 내 아버지는 그런 사람이었어요. 사람들은 늘 나한테 말했죠. 아버지는 능력이 많은 사람이라고. 실제로도 그랬고요. 아버지는 고위 관료였으니까. 반면에 나는 할 수 있는 게 없었어요. 나한테는 어머니가, 어머니한테는 내가 전부였으니까. 학교에서 배우는 것 따위에는 관심이 없었어요. 그건 지금도 마찬가지고요. 아, 당신이 내 어머니를 봤어야 하는데……. 어머니는 정말 작고 가냘픈 분이었어요. 내가 열세 살 때 벌써 어머니를 팔에 안고 정원으로 내려갈 수 있을 정도였으니까요. 그만큼 가벼

웠죠. 마지막 몇 년 동안 나는 어머니를 그렇게 안고 온 정원과 공원을 돌아다녔어요. 지금도 검정색 옷을 입은 어머니 모습이 선해요. 넓은 레이스가 달린…….」

그는 다시 노를 잡더니 거칠게 노를 젓기 시작했다. 그 바람에 선미에서 물이 높게 튀어 올랐다. 사법관은 그걸 보고 마음이 불안해졌는지 이제 뭍으로 돌아가자고 했다. 남자가 뱃머리를 돌렸다.

남자의 힘찬 노질이 차츰 진정되었을 때 아가씨가 다시 말문을 열었다. 「도시에는 자주 가세요?」

「거긴 한 번도 간 적이 없습니다.」

「한 번도요? 여기서 3마일밖에 떨어지지 않은 곳인데?」

「나는 항상 여기에 있지는 않아요. 어머니가 돌아가신 뒤로는 상황 봐가며 여기저기 떠돌죠. 하지만 이번 겨울에는 계산하는 법을 배우려고 도시에 가려고 해요.」

「수학을 배우려고요?」

「아뇨, 건축용 목재 때문에요.」 그가 웃으며 말했다. 「무슨 말인지 이해가 안 되시죠? 설명하자면 이래요. 나는 나이가 좀 더 들면 화물용 범선을 사서 거기다 목재를 싣고 노르웨이로 건너갈 생각이에요. 그러면 관세와 통관 절차 때문에 계산을 할 줄 알아야 합니다.」

「정말 그럴 작정이에요?」

「그럼요. 바다에 떠 있는 게 얼마나 멋진 일인데요. 게다가 항해에는 삶의 많은 것이 담겨 있어요. 다 왔군요. 저기 나루가 보여요.」

배가 나루에 닿자 사법관과 딸이 뭍에 내렸다. 그 전에 두 사람은 남자가 트라팔가르에 오면 자신들의 집을 들르겠다는 약속을 받아 냈다. 이어 두 사람은 마을 이장 집 쪽으로 돌아갔고, 남자는 다시 노를 저어 호수로 나갔다. 노 젓는 소리는 저 위 미루나무가 있는 곳에서도 들렸다.

「카밀라!」 바깥문을 닫으려고 밖으로 나간 사법관이 소리쳤다. 「말해 봐.」 그가 손 램프를 끄면서 말했다. 「카를센 집에서 봤던 장미 이름이 뭐지? 퐁파두르? 맹트농?」

「상드리옹!」 딸이 소리쳤다.

「그래, 맞다. 상드리옹. 자, 이제 쉬자꾸나. 잘 자, 아가야.」

자기 방에 들어온 카밀라는 창문 커튼을 젖혔고, 차가운 유리창에 이마를 대고는 「요정의 언덕」[3]에 나오는 엘

3 덴마크의 극작가 요한 루드비 헤이베르Johan Ludvig Heiberg (1791~1860)의 가극.

리자베트의 노래를 흥얼거렸다. 해질 무렵이었다. 어디선가 미풍이 일었고, 흰 조각구름이 달빛을 받으며 카밀라에게 다가왔다. 그녀는 한참을 서서 구름을 쳐다보았다. 멀리서부터 지켜보던 구름이 점점 가까워질수록 그녀의 흥얼거림도 점점 커져 나갔다. 그러다 구름이 머리위로 사라지자 몇초간 침묵이 이어졌고, 그녀는 다시 다른 구름을 눈으로 좇았다. 이어 나직이 한숨을 내뱉으며 다시 커튼을 쳤다. 그녀는 화장대로 가서 두 팔을 올려놓았고, 포갠 두 손에 얼굴을 괴고는 거울로 시선을 돌렸다. 거울 속 얼굴을 보지는 않으면서.

그녀는 검은 옷을 입은 작고 병약한 부인을 두 팔에 안은 날씬한 젊은이를 생각했다. 폭풍을 뚫고 낭떠러지와 암초 사이로 작은 배를 몰아가는 날씬한 젊은이를 생각했다. 그날 있었던 전체 대화가 귀에 다시 들리는 듯했다. 얼굴이 달아올랐다. 에우겐 카를센이 봤더라면 자기가 남자에게 아양을 떨었다고 생각할 것이다. 그녀는 약간 질투심 어린 자기만의 연상을 계속해 나갔다. 클라라라면 비가 쏟아지는 숲속에서 누구도 그렇게 자기를 쫓아오게 하지는 않을 것이다. 게다가 클라라라면 낯선 남자에게 호수로 배를 타고 나가자고 요구하지도 않았을 것이다. 카를센은 클라라에 대해 〈발끝까지 여자〉라고 말했다. 그건 시골 소녀 카밀라에게는 질책이나 다름없었다. 그녀는 일부러 느릿느릿 옷을 벗고 침대에 누웠다. 그러고는 침대 옆의 책장에서 작고 우아한 책을 한 권 집어 들고 첫 장을 넘겼다. 그녀는 손으로 직접 쓴 짧은 시를 고단하고 괴로운 표정으로 힘겹게 읽고는 책을 바닥에 툭 떨어뜨렸다. 와락 눈물이 쏟아졌다. 그녀는 다시 책을 부드럽게 집어 들어 원래 자리에 꽂고는 불을 껐다. 그런 다음 누운 채로 달빛 비치는 커튼을 한동안 처량하게 바라보다가 마침내 잠이 들었다.

며칠 뒤 〈빗속의 남자〉는 트라팔가르로 길을 떠났다. 도중에 마차 한가득 호밀 건초를 싣고 가는 농부를 만나 마차에 오르는 행운을 누렸다. 그는 짚더미에 등을 대고 누워 구름 한 점 없는 하늘을 올려다보았다. 처음 반 마일 동안 머릿속에서는 생각이 자유자재로 들락거렸다. 하지만 그렇게 많은 생각이 휙휙 바쁘게 오가지는 않았다. 대부분의 생각이 머문 것은 이런 의문이었다. 어린애의 얼굴이 어떻게 그렇게 놀랄 정도로 아름다워질 수 있을까? 그는 몇날며칠을 한 인간의 이목구비, 얼굴 표정과 색깔 변화, 머리와 손의 자잘한 움직임, 목소리의 떨리는 음조를 기억하는 일에만 몰두했는데, 어떻게 그런 일이 자신에게 생길 수 있는지 스스로도 의아해했다. 이윽고 농부가 채찍으로 4분의 1마일쯤 떨어진 한 슬레이트 지붕을 가리키며 저기가 사법관의 집이라고 말했다. 순간 선한 모겐스는 짚더미에서 벌떡 일어나 지붕을 초조하게 바라보았다. 이상하게 가슴이 답답해져 왔다. 그와 함께 지금 집에 아무도 없을 거라고 상상하기 시작했다. 하지만 저 집에서 떠들썩한 파티가 열리고 있을 거라는 생각이 그를 더 강하게 사로잡았다. 이 생각은 그 뒤 그가 목초지에서 〈대지의 즐거움〉을 누리는 소들이 몇 마리나 되는지, 길 주변에 쌓인 자갈 더미가 몇 개나 되는지 줄곧 헤아렸음에도 머릿속을 떠나지 않았다. 마침내 농부는 농가로 내려가는 길목에서 마차를 멈추었고, 모겐스는 마차에서 내려 몸에 묻은 지푸라기를 털어 냈다. 그사이 마차는 자갈길을 삐걱거리며 천천히 나아갔다.

그는 정원 문을 향해 한 걸음 한 걸음 다가갔다. 발코니 창문 뒤로 빨간 천이 후다닥 사라지는 것이 보였다. 발코니 난간 위에 놓여 있던 작은 바느질 바구니도 사라졌다. 발코니의 흔들의자도 아직 흔들리고 있었다. 그는 정원으로 들어갔다. 시선은 계속 발코니로 향한 채. 그때 사법관의 인사 소리가 들렸다. 모겐스는 소리 나는 쪽으로 등을 돌려 가볍게 목례를 했다. 사법관은 두 팔에 빈 화분을 가득 들고 있었다. 이어 두 사람은 이런저런 이야기를 나누었다. 특히 사법관은 많은 이야기를 했다. 나무들 사이의 고유한 차이가 접목을 통해 사라지고 있다면서 그런 방식이 마음에 안 든다고 했다. 마침내 카밀라가 파란 숄을 두르고 천천히 그들에게 다가왔다. 그녀는 숄로 두 팔을 감싼 채 가볍게 고개를 끄덕이며 다소 무덤덤하게 인사했다. 사법관은 화분을 들고 떠났고, 카밀라는 어깨 너머로 발코니 쪽을 돌아보았다. 모겐스가 그녀를 바라보고 있었다. 그녀가 말했다. 그사이 어떻게 지내셨어요? 별일 없이 잘 지냈습니다. 노도 많이 저으셨고요? 아, 예. 뭐 평소처럼. 아주 많이 젓지는 않았습니다. 카밀라는 고개를 약간 외로 꼬며 그를 차갑게 바라보았다. 그러더니 눈을 게슴츠레 뜨고 옅은 미소를 지으며, 여전히 아름다운 마겔로네에게 푹 빠져 있는지 물었다. 그는 그녀가 무슨 뜻으로 그런 말을 하는지 정확히 알지는 못했지만, 한편으로는 이해할 것도 같았다. 이어 두 사람은 한동안 그렇게 서 있었다. 둘 사이에 침묵이 흘렀다. 카밀라가 구석 쪽으로 몇 걸음 옮겼다. 거기엔 벤치와 정원 의자가 하나씩 놓여 있었다. 그녀는 벤치에 앉더니 의자를 가리키며 그에게도 앉으라고 권했다. 여기까지 먼 걸음 하느라 피곤할 거라고 하면서. 그도 의자에 앉았다.

그녀가 말했다. 왕가의 정략적 동맹에 대해선 어떻게

생각하느냐? 혹시 그런 건 아무래도 상관없다고 생각하느냐? 아니면 왕가에 대해선 아예 관심이 없느냐? 그렇다면 귀족 정치도 혐오하느냐? 민주주의를 좋게 생각하지 않는 젊은이는 별로 없다. 그는 어쩌면 왕가의 동맹에 정치적인 의미를 부여하지 않는 사람일지도 모르겠지만, 그건 그의 착각일 수 있다. 사람들의 생각은……. 그때 그녀가 갑자기 의아한 표정으로 말을 멈추었다. 이 모든 이야기에 대해 처음엔 상당히 놀란 표정을 짓던 모겐스가 이제는 무척 흡족한 표정을 짓고 있었기 때문이다. 저렇게 가만히 듣고 앉아서 그녀를 놀리고 있는 것일까? 그녀의 얼굴이 새빨개졌다.

「정치에 관심이 많으세요?」 그녀가 그의 기색을 살피며 조심스레 물었다.

「아뇨, 전혀.」

「그런데 왜 내가 정치 이야기를 계속하도록 내버려두시는 거죠?」

「말씀하시는 게 아주 매력적이어서요. 말의 내용은 상관없이요.」

「그건 칭찬이 아니에요.」

「아뇨, 칭찬입니다.」 그는 그녀가 모욕을 당한 사람 같은 표정을 짓고 있어서 단호하게 대답했다.

카밀라는 폭소를 터뜨리며 자리에서 일어나 아버지에게 달려갔다. 그러고는 아버지와 팔짱을 끼고 아직도 놀란 표정을 짓고 있는 모겐스에게 돌아왔다.

점심을 먹고 발코니에서 커피를 마시고 있는데 사법관이 산책을 제안했다. 세 사람은 큰 도로를 가로질러 길 양편으로 호밀 그루터기가 있는 오솔길을 따라 걸었다. 그러다 발판을 밟고 산울타리를 넘었다. 거기엔 떡갈나무를 비롯해 있어야 할 모든 것이 있었다. 심지어 메꽃도 가시나무 산울타리에 아직 남아 있었다. 카밀라는 모겐스에게 메꽃 몇 송이를 꺾어 줄 것을 부탁했다. 모겐스는 메꽃을 전부 꺾어 한아름 안고 돌아왔다.

「고마워요, 하지만 이렇게 많이는 필요하지 않아요.」 그녀는 이렇게 말하더니 몇 송이만 남기고 나머지는 모두 바닥에 떨어뜨렸다.

「이럴 줄 알았으면 메꽃을 그냥 둘 걸 그랬어요.」 모겐스가 진지하게 말했다.

카밀라는 허리를 숙여 메꽃을 다시 모으기 시작했다. 모겐스가 자신을 도울 거라고 예상하면서. 그런데 반응이 없었다. 그녀는 놀란 눈으로 그를 쳐다보았다. 그는 가만히 서서 그녀를 내려다보고만 있었다. 그녀가 시작한 일이니 그녀가 끝내야 했다. 마침내 메꽃 줍기가 끝났다. 이후 그녀는 한참 동안 모겐스와 말을 하지 않았다. 걸어가는 내내 모겐스 쪽으로는 눈길 한 번 주지 않았다. 하지만 그들은 화해할 수밖에 없었다. 집으로 돌아가는 길에 다시 떡갈나무를 지나갈 때였다. 카밀라는 나무 밑에서 우듬지를 올려다보며 다리를 이쪽저쪽으로 번갈아 가며 콩콩 뛰었고, 손동작까지 취해 가며 노래를 불렀다. 모겐스는 개암나무 덤불 근처에 서서 그녀의 모습을 지켜보았다. 그때 카밀라가 갑자기 그를 향해 돌진했다. 깜짝 놀란 모겐스는 소리치며 도망치는 것도 잊어버린 채 어정쩡한 자세를 취했다. 카밀라가 웃으면서 설명했다. 자신은 스스로에게 무척 불만이 많다. 자신은 어떤 무서운 아이 — 그녀는 자기 자신을 가리켰다 — 가 돌진해 오면 모겐스처럼 멈추어 서는 것은 꿈도 꿀 수 없다는 것이다. 이 말을 들은 모겐스는 자신은 스스로에게 만족한다고 말했다.

해 질 무렵이었다. 모겐스는 집으로 돌아갈 시간이 되었다. 사법관과 카밀라는 대로변까지 배웅해 주었다. 두 사람이 다시 집으로 돌아올 때 딸이 말했다. 여기 시골에 머무는 한 달 동안에라도 그 외로운 남자를 자주 초대했으면 좋겠다고. 모겐스는 바깥세상에 아는 사람이 전혀 없다는 것이다. 사법관은 그러자고 하면서 딸아이가 모겐스를 아무것도 모르는 철부지로 취급하는 것에 슬그머니 웃음이 나왔다. 하지만 카밀라는 부드러우면서도 진지해 보였다. 마치 연민의 화신처럼 비칠 정도로.

온화한 가을날이 이어졌고, 사법관과 카밀라는 트라팔가르에 한 달 더 머물기로 했다. 연민의 힘은 컸다. 모겐스가 첫 주엔 두 번, 셋째 주엔 거의 매일 사법관의 집을 찾았으니까 말이다. 화창한 날씨도 막바지에 이른 어느 날이었다. 아침 일찍부터 비가 내렸고, 정오가 다 될 때까지 하늘은 잔뜩 찌푸려 있었다. 지금은 다시 해가 나 대지에 강렬하고 따뜻한 빛을 선사했다. 젖은 정원 길과 풀밭, 나뭇가지에서 실연기가 피어올랐다. 사법관은 나뭇가지를 쳤고, 모겐스와 카밀라는 정원 한 모퉁이에서 늦게 익은 겨울 사과를 따는 중이었다. 그는 광주리를 들고 테이블 위에 서 있었고, 그녀는 크고 흰 앞치마를 펼친 채 의자 위에 서 있었다.

「그래서 어떻게 됐냐고요!」 그녀가 모겐스에게 재촉하듯 소리쳤다. 그가 동화를 들려주는 중이었는데, 높은 곳의 사과를 따느라 잠시 이야기가 중단된 것이다.

그가 동화를 이어갔다. 「그때 농부는 제자리에서 세 번 돌더니 노래를 부르기 시작했어요. 〈바빌론으로! 바빌론으로! 내 머리를 관통하는 철반지와 함께.〉 그런 다음 농부와 송아지, 할머니, 검은 수탉은 공중으로 날아갔어요. 아루프 바일레 호수만큼 넓은 바다를 건너고, 야네루프 교회만큼 높은 산을 넘고, 하늘나라와 홀슈타인을 지나 마침내 세계의 끝에 도착했죠. 거기엔 요괴가 앉아 아침을 먹고 있었는데, 식사를 마치는 순간 그들이 나타났어요.

〈너는 하느님을 좀 더 공경하고 두려워해야 해.〉 농부가 말했어요. 〈그렇지 않으면 하늘나라에 들어갈 수가 없어.〉

요괴도 주님께 외경심을 갖고 싶다고 했어요.

〈그럼 식사 후에 기도를 해야지.〉 농부가 말했어요. …… 미안해요, 더 이상 이야기를 못하겠어요.」 모겐스가 안절부절못하며 말했다.

「그럼, 그만해도 돼요.」 카밀라는 이렇게 말하며 놀란 표정으로 그를 쳐다보았다.

「지금 바로 이야기하고픈 게 있어요.」 모겐스가 말했다. 「당신한테 뭔가 물어보고 싶은데, 내 말을 듣고 비웃지는 말아 줘요.」

카밀라는 의자에서 훌쩍 뛰어내렸다.

「말해 봐요. 아니에요, 내가 대신 말해 줄게요. 여기 테이블이 있고, 저기 산울타리가 있어요. 만일 당신이 나의 신부가 되어 주지 않는다면 나는 광주리를 든 채 바로 산울타리를 넘어 가버리겠다는 거죠? 하나.」

카밀라가 그를 슬쩍 훔쳐보니 그의 얼굴에 웃음기가 사라진 것을 확인할 수 있었다.

「둘.」

그는 감정이 북받쳐 얼굴이 새하얘졌다.

「예, 당신의 신부가 될게요.」 그녀는 이렇게 속삭이더니 앞치마를 잡고 있던 손을 놓았다. 앞치마에 담겨 있던 사과가 사방으로 굴러 떨어졌다. 그러고는 달렸다.

하지만 멀리 가지는 않았다.

「셋!」 그녀가 마지막 숫자를 외치는 순간 그는 도착했고, 그녀에게 키스했다.

사법관은 가지를 치다가 멈칫했다. 하지만 저 고위 관료의 아들은 자연과 문명이 흠잡을 데 없이 하나로 조화된 청년이라 그로서도 두 사람을 방해하고 싶은 마음이 없었다.

겨울 끝 무렵이었다. 일주일 내내 몰아친 눈보라로 여기저기 수북이 쌓인 눈 더미가 서서히 녹기 시작했다. 대기는 햇빛과 흰 눈의 반사광으로 가득 찼고, 창문 위의 눈은 반짝거리는 물방울이 되어 떨어져 내렸다. 이제 방 안에서도 형체와 색깔이 깨어났고, 선과 윤곽이 생기를 되찾았다. 평평한 것은 평평한 대로, 굽은 것은 굽은 대로, 삐딱한 것은 삐딱한 대로 드러났다. 꽃 테이블 위에는 온갖 색조의 녹색이 어지럽게 뒤엉켜 있었다. 말랑말랑한 촉감의 짙은 녹색에서부터 아주 선명한 연두색에 이르기까지. 마호가니 테이블 상판에서는 적갈색 톤이 불꽃처럼 흘렀고, 금빛 장식이 반짝거렸으며, 도자기와 테두리, 몰딩이 번쩍거렸다. 카펫에서만 온갖 색이 환하게 빛나는 혼돈 속에서 부서졌다.

카밀라는 창가에 앉아 바느질을 하고 있었다. 붉은 커튼의 불그스름한 빛이 그녀와 벽 선반에 놓인 우미(優美)의 세 여신상을 아늑하게 감싸고 있었다. 느릿느릿 방 안을 서성이던 모겐스는 칙칙한 무지갯빛 먼지가 휘날리는 비스듬한 빛기둥을 매 순간 지나가고 있었다.

그는 대화를 나누고 싶어 입이 근질근질한 듯했다.

「당신들이 어울리는 사람들은 퍽 특이해. 이 세상천지엔 손바닥 뒤집듯 단번에 해결할 수 없는 일은 어디도 없다고 생각하는 것 같아. 그래서 너무 쉽게 이렇게 내뱉어. 이건 천하고, 저건 고결하다, 이건 천지 창조 이래 가장 어리석은 짓이고, 이건 가장 현명한 짓이다. 저건 정말 혐오스럽고, 이건 형언할 수 없을 만큼 아름답다. 이 모든 것들에 대해 사람들의 의견은 전부 똑같아. 마치 그와 관련해서 특별한 분류표나 평가 지표라도 있는 것처럼 말이야. 그들은 항상 모두 똑같은 결론을 내려. 그 내용이야 어떻든 상관없이. 그 사람들은 정말 서로 얼마나 비슷한지 몰라! 늘 똑같은 것만 알고, 늘 똑같은 것에 대해서만 이야기하고, 늘 똑같은 단어와 똑같은 의견만 갖고 있어.」

「혹시 카를센과 뢴홀트까지 똑같이 말하고 똑같은 의견을 갖고 있다고 주장하는 건 아니지?」 카밀라가 이의를 제기했다.

「맞아, 그 사람들은 수준이 아주 높아. 다른 부류지. 두 사람의 기본적 가치관은 밤과 낮처럼 달라. 물론 전부 그렇지는 않아. 쾌락 면에서는 일치해. 어쩌면 두 사람이 실제로 일치하지 않는 자잘한 일도 있을 수 있어. 그게 오해에서 비롯된 것일지라도. 두 사람의 말을 귀 기울여 듣는 건 정말 웃기지도 않는 짓이야. 마치 모든 가능한 것을 두고 서로 의견의 일치를 보지 않기로 약속이라도 한 것 같아. 일단 두 사람은 큰 소리로 대화를 시작해. 그러면 바로 흥분해서 이야기를 이어가. 그때 한 사람이 흥분해서 자신이 원래 뜻하지 않았던 말을 해. 그러면 다른 사람은 정확히 그것과 반대되는 말을 해. 그 역시 원래 뜻하지 않았던 말이지. 이어 한 사람이 상대의 뜻하지 않은 말을 공격하고, 다른 사람 역시 상대의 뜻하지 않은 말을 공격해. 그런 식으로 놀이가 계속되지.」

「그 사람들이 당신한테 뭘 어쨌다고 그래?」

「그 인간들한테 화가 나. 얼굴을 보고 있으면 마치 이 세상에 더 이상 특별한 일은 일어나지 않을 것 같은 느낌이 들어.」

카밀라는 바느질거리를 옆으로 밀쳐 두고 그에게로 갔다. 그런 다음 그의 저고리 목깃을 잡고는 짓궂은 표정으로 무언가를 묻듯이 바라보았다.

「난 카를센을 참을 수가 없어.」 그가 화난 목소리로 말하더니 고개를 흔들었다.

「그래서요? 또 말해 봐.」

「당신은 정말…… 너무 사랑스러워.」 그는 이상하게 얼굴을 찌푸리더니 중얼거리듯이 말했다.

「그리고 또?」

「또…… 그 친구는 당신을 친근하게 바라보고, 당신 말에 유심히 귀 기울이고, 당신에게 다정하게 말을 붙여. 난 그 친구의 그런 모습을 견딜 수가 없어. 당장 그만둬야 해. 왜냐고? 당신은 내 것이니까. 그 친구 것이 아니라. 그렇지 않아? 당신은 그 친구 것이 아냐. 절대로. 당신은 내 거야. 당신은 파우스트 박사가 악마에게 약속했듯이 당신의 몸과 영혼이 내 거라고 나한테 약속했어. 당신의 살갗과 머리카락도 모두 내 거라고. 영원히!」

그녀는 약간 겁먹은 표정으로 고개를 끄덕이더니 지조 있는 시선으로 그를 쳐다보았다. 두 눈에 눈물이 글썽였다. 그녀가 그에게 밀착했다. 그는 그녀를 끌어안더니 고개를 숙여 그녀의 이마에다 입을 맞추었다.

같은 날 저녁 모겐스는 사법관을 역마차까지 동행했다. 사법관이 상부의 갑작스러운 지시로 공무 여행을 떠나게 된 것이다. 그 때문에 카밀라는 이튿날 아침에 고모집으로 떠나 아버지가 돌아올 때까지 거기 머물기로 했다.

모겐스는 미래의 장인을 바래다 준 뒤 집으로 돌아오면서 앞으로 며칠 간 카밀라를 보지 못할 거라는 생각만 했다. 그래서인지 그녀가 사는 거리로 방향을 틀었다. 거리는 길고 좁고 인적이 드물었다. 그런데 이런 한갓진 길에도 마차가 다녔고, 저 멀리서는 사람들의 발소리도 들렸다. 지금은 등 뒤의 건물에서 개 짖는 소리밖에 들리지 않았다. 그는 카밀라가 사는 집을 쳐다보았다. 아래층은 평소처럼 어두웠다. 회칠한 창문들만 이웃집의 가로등 불빛으로 파르르 떠는 듯한 불안한 생기를 띠었다. 2층 창문은 모두 열려 있었고, 한 창문에는 널빤지 묶음이 삐죽 튀어나와 있었다. 카밀라의 방은 어두웠다. 아니, 위층 전체가 어두웠다. 다락방의 한 창문만 황금빛 달빛으로 희끄무레하게 반짝거렸다. 집 위에서는 구름이 마치 무언가에 쫓기듯 거칠게 질주했다. 거리 양편의 건물들은 창문이 환했다.

모겐스는 어두운 집을 보고 있자니 왠지 슬퍼졌다. 그래서 버림받고 처량한 심정으로 한참을 서 있었다. 열린 창문들이 삐걱거렸고, 물이 지붕 홈통으로 단조롭게 북을 치듯 흘러가더니 그의 눈에는 보이지 않는 곳에서 공허하고 희미한 소리를 내며 떨어졌다. 골목길에 바람이 쌩쌩 불었다. 아, 이렇게 어두운 집이라니! 모겐스는 눈물이 솟구쳤고, 가슴이 답답해졌다. 자신이 마치 카밀라에게 무슨 비난받을 짓이라도 한 것처럼 이상하게 좋지 않은 느낌이 들었다. 이어 어머니가 생각났다. 그리움이 봇물처럼 밀려왔다. 어머니의 품에 얼굴을 묻고 마음껏 울고 싶었다.

그렇게 그는 손으로 가슴을 누르며 한참을 서 있었다. 그러던 어느 순간 날카로운 말발굽 소리와 함께 마차가 골목길을 달려왔다. 그는 마차를 따라 집으로 돌아왔다. 현관문 앞에서 한참 동안 손잡이를 흔들고 나서야 마침내 문이 열렸다. 그는 콧노래를 흥얼거리며 계단을 올라갔다. 방에 도착했을 때 스몰렛[4]의 소설을 들고 소파에 털썩 주저앉아 자정이 될 때까지 소설을 읽으며 웃었다.

밤이 깊어지면서 기온이 떨어졌다. 그는 추위를 몰아내려고 소파에서 일어나 발을 구르며 방 안을 오갔다. 그러다 창가에 멈추어 섰다. 하늘 한쪽은 눈 덮인 지붕들과 하나로 녹아든 된 듯이 환했다. 반면에 다른 쪽에는 긴 구름이 몇 개 떠 있었고, 그 아래에 이상한 느낌의 불그스름한 빛이 어른거렸다. 불안하게 일렁이는 불빛에다 붉은 연기까지 더해졌다. 그는 창문을 활짝 열어젖혔다. 불이었다. 사법관이 사는 동네 쪽에서 불이 난 것이다. 그는 총알같이 계단을 뛰어 내려갔다. 도로를 지나고, 골목을 관통하고, 샛길까지 통과한 뒤부터는 곧장 직진이었다. 아직 아무것도 보이지 않았다. 길모퉁이를 돌아가자 비로소 적갈색의 불빛이 나타났다. 스무 명 정도의 사람이 도로를 따라 개별적으로 득달같이 달려가고 있었다. 사람들은 서로 밀치듯이 내려가면서 어디서 불이 났는지 물었다. 제련소라는 답이 돌아왔다. 모겐스는 이전과 똑같은 속도로 달리면서도 마음이 한결 놓였다.

4 Tobias Smollett (1721~1771). 영국의 작가. 피카레스크풍의 소설로 유명. 「로더릭 랜덤의 모험」(1748) 등의 작품이 있음.

거리를 몇 개 더 지났다. 사람들은 점점 많아졌다. 이제 그들의 입에서 나오는 화재 장소는 비누 공장이었다. 사법관의 집 맞은편에 있는 곳이었다. 모겐스의 발이 미친 듯이 빨라졌다. 이제 사선으로 난 골목 하나만 남았다. 길목은 이미 사람들로 발 디딜 틈이 없었다. 단정한 차림새의 차분한 남자들, 갈라지는 목소리로 느릿느릿 말하는 너저분한 노파들, 비명을 지르는 젊은 도제들, 귓속말을 나누는 잘 차려입은 아가씨들, 농담을 주고받는 건달들, 놀란 얼굴로 티격태격 싸우는 주정뱅이들, 허둥대는 경찰관들, 인파에 가로막혀 오도 가도 못하는 마차까지 골목을 가득 메우고 있었다. 모겐스는 사람들 틈을 비집고 들어갔다. 이제 길모퉁이에 닿았다. 그에게도 서서히 불꽃이 튀기 시작했다. 길 위쪽에서는 불꽃이 사방으로 흩날렸고, 길 양편의 유리창에서는 불빛이 이글거렸다. 공장이 불타고 있었다. 사법관의 집도 불탔고, 이웃집들도 불타고 있었다. 곳곳에 연기와 화염, 혼란, 고함, 욕설이 난무했다. 지붕 기와가 굴러 떨어지고, 누군가 닫힌 문을 도끼로 내려치고, 목재가 부서져 나가고, 유리창이 깨지고, 물줄기가 뿜어져 나왔다. 이 모든 것들 사이로 묵직하게 떨리는 규칙적인 펌프 소리가 들렸다. 가구, 침대, 검은 헬멧, 사다리, 반짝거리는 단추, 환한 얼굴, 바퀴, 밧줄, 방수포, 그리고 이상한 도구들……. 모겐스는 이 모든 것을 뚫고 집 안으로 돌진했다.

집 정면은 불타는 공장의 불빛으로 무척 환했다. 지붕 기와들 사이로 연기가 자욱하게 피어올랐고, 열려 있는 2층 창문에서도 연기가 왈칵왈칵 쏟아져 나왔다. 집 안에서는 불꽃이 격렬하게 튀는 소리가 났다. 처음엔 느릿하던 어떤 소리는 어느 순간 콰르릉 굴러가는 소리로 바뀌더니 마지막엔 둔탁한 천둥소리로 끝맺었다. 집 밖으로 뚫린 모든 구멍에서는 연기와 불꽃과 화염이 미친 듯이 춤을 추었다. 얼마 뒤 불길은 한층 더 강력하고 투명한 모습으로 이글거리더니 모든 것을 집어삼키기 시작했다. 모겐스는 공장 건물에 기대 놓은 커다란 소방 사다리를 두 손으로 잡았다. 거기엔 아직 불이 붙지 않았다. 그는 사다리를 잡고 수직으로 세운 다음 사법관 집을 향해 서서히 놓았다. 다행히 사다리는 2층 창문틀에 정확히 박혔다. 모겐스는 서둘러 사다리를 타고 올라가 창문으로 들어갔다. 순간 매캐한 연기로 눈을 뜰 수 없었다. 물줄기로 인해 불이 꺼진 나무에서 피어오른 독한 연기 때문에 숨도 쉬기 어려웠다. 그가 들어간 곳은 식당이었다. 거실 벽이 거의 무너져 내리면서 이제 거실은 뜨겁게 이글거리는 거대한 불구덩이로 변해 있었다. 1층 화염이 이따금 천장 가까이 치솟았고, 그로써 간신히 천장에 매달려 있던 몇 안 되는 판자도 2층 바닥이 꺼지는 순간 불구덩이의 노란 화염에 불이 붙었다. 벽에는 불빛과 그림자가 물결치듯 일렁였고, 벽지는 여기저기 말린 채로 불이 붙어 조각조각 아래로 흩날렸다. 느슨해진 몰딩과 그림 액자틀에서는 누런 불꽃이 혀를 날름거렸다. 모겐스는 잔해와 무너진 벽의 파편 위를 기어 불구덩이 가장자리에 이르렀다. 여기서는 차갑고 뜨거운 공기가 번갈아 가며 얼굴을 때렸다. 맞은편 벽이 상당히 많이 무너져 내리면서 여기서도 카밀라의 방이 건너다 보였다. 서재의 벽은 아직 굳건했다. 공기는 점점 뜨거워졌고, 얼굴 살갗은 팽팽해졌다. 그는 머리카락이 고슬고슬해지는 것을 느낌으로 알아차렸다. 그때였다. 무언가 육중한 것이 어깨를 스치듯 지나가면서 등을 눌렀고, 그 바람에 그는 바닥에 깔렸다. 원래 있던 자리에서 미끄러져 내린 들보였다. 그는 움직일 수가 없었다. 호흡은 점점 힘들어졌고, 관자놀이의 맥박도 점점 거칠어졌다. 왼쪽에서는 식당의 벽을 향해 물줄기가 뿜어지고 있었다. 그는 사방으로 흩어지는 차가운 물방울이 자신에게도 떨어졌으면 하는 소망을 품었다. 그 순간이었다. 불구덩이 건너편에서 신음이 들렸다. 카밀라 방의 바닥 위에 무언가 희끄무레한 것이 움직이고 있었다. 그녀였다. 카밀라는 양손으로 머리를 감싼 채 무릎을 꿇고 엎드려 있었다. 허리가 조금씩 움직이는 것이 보였다. 그녀는 천천히 일어나더니 불구덩이 가장자리로 갔다. 허리는 꼿꼿했고, 팔은 힘없이 늘어뜨렸으며, 머리는 흡사 목 위에 간당간당 걸려 있는 듯했다. 잠시 후 상체가 아주 천천히 앞쪽으로 쓰러지더니 길고 아름다운 머리카락이 바닥을 쓸었다. 짧고 강렬한 불꽃이 번쩍하더니 바로 사라졌다. 다음 순간 그녀는 불구덩이 속으로 떨어졌다.

모겐스의 입에서 외마디 비명이 터져 나왔다. 거칠게 날뛰는 짐승의 울부짖음처럼 짧지만 깊고 묵직한 절규였다. 그는 불구덩이에서 도망치려고 몸부림을 쳤다. 그러나 등을 누르는 들보 때문에 움직일 수가 없었다. 그의 양손은 벽의 잔해를 더듬었고, 어느 순간 흡사 무언가를 꽉 잡은 것처럼 경직되었다. 이어 그는 벽의 잔해에다 이마를 일정한 리듬으로 쿡쿡 박으면서 신음하기 시작했다.「주여, 주여, 주여!」

그는 그렇게 누워 있었다. 얼마 뒤 누군가 자신의 몸에 손을 대는 것이 느껴졌다. 몸을 누르는 들보를 치우고 그를 집 밖으로 데리고 나가려는 소방대원이었다. 모겐스는 소방대원이 자신을 일으켜 세운 뒤 부축해서 끌고 가는 것을 아주 불쾌한 감정으로 인지했다. 소방대원이 그를 데려간 곳은 창문이었다. 순간 모겐스는 소방대원이 자신에게 나쁜 짓을 꾸미고 있고, 자신의 목숨을 해치려고 한다고 생각했다. 그래서 소방대원의 팔에서 몸을 뺀 다음 바닥에 떨어진 각목을 들고 남자의 머리를 후려쳤다. 소방대원은 뒤로 비틀거리며 쓰러졌다. 모겐스는 창문 구멍으로 나와 부리나케 사다리를 타고 내려왔다. 여전히 머리 위로 각목을 휘두르면서. 그는 혼란과 연기, 인파, 텅 빈 거리, 황량한 광장을 차례로 지나 들판에 이르렀다. 사방이 온통 눈이었다. 다만 얼마 떨어지지 않은 곳에 거무스름한 지점이 하나 보였다. 눈 위로 불룩 솟은 자갈 더미였다. 그는 그것을 각목으로 내리쳤다. 때리고 또 때렸다. 이후에도 계속 내리쳤다. 때려죽여 없애 버리고 싶었다. 그는 멀리 달아나고 싶었다. 자갈 더미를 빙빙 돌며 미친 듯이 다시 내리쳤다. 하지만 그것은 사라지려 하지 않았다. 그는 각목을 멀리 휘 던지고는 검은 자갈 더미로 몸을 던졌다. 이제 몸으로라도 완전히 끝을 보려고 했다. 그런데 그의 두 손에 잡힌 것은 작은 돌이었다. 자갈이었다. 검은 자갈 더미였다. 그렇다면 자신은 왜 이 들판에 나와 검은 자갈 더미를 파헤치고 있는 것일까? 연기 냄새가 났다. 타오르는 불길이 보였다. 카밀라가 불구덩이 속으로 떨어지는 것도 보였다. 그는 괴성을 지르며 들판을 달렸다. 화재 장면이 머릿속에서 떠나지 않았다. 눈을 감았다. 화염, 화염! 그는 바닥에 쓰러졌다. 얼굴이 눈에 묻혔다. 화염! 그는 벌떡 일어나 뒤로 달리고, 앞으로 달리고, 방향을 틀었다. 곳곳이 화염이었다. 그는 눈밭을 가로질러 계속 내달렸다. 집을 지나고, 나무를 지나고, 창가에 서서 겁에 질린 눈으로 바라보는 한 얼굴을 지나고, 짚더미를 지나고, 개들이 줄에 묶여 사납게 짖어 대는 농장을 지났다. 길가의 한 집을 지나갈 때였다. 환하게 불을 밝힌 창문 앞에 갑자기 멈추어 섰다. 빛이 아늑하게 느껴졌다. 이 불빛 앞에서는 화염도 물러났다. 그는 좀 더 가까이 다가가 안을 들여다보았다. 평범한 농가였다. 한 여자애가 난롯가에서 냄비를 젓고 있었다. 손에 든 등불이 짙은 연기 속에서 약간 불그스름하게 빛났다. 다른 처녀애는 앉아서 가금류의 털을 뽑고 있었고, 세 번째 처녀애는 발갛게 달아오른 짚불 위에다 털 뽑힌 가금류를 그슬리고 있었다. 불길이 약해지자 새로운 짚을 넣었다. 불길은 다시 활활 타올랐다. 하지만 다시 작아지고 또 작아지다가 완전히 꺼졌다. 모겐스는 화가 나서 팔꿈치로 유리창을 깨버리고는 천천히 계속 걸었다. 방 안에 있는 처녀애들이 소리를 질렀다. 그제야 그는 다시 달렸다. 슬픈 짐승처럼 나직이 낑낑거리는 소리를 내면서 한참을 달렸다. 그때였다. 행복했던 시절에 대한 기억이 섬광처럼 순간순간 떠올랐다. 이 기억이 사라지고 나면 슬픔은 두 배로 커졌다. 그는 자신에게 일어난 일을 감당할 수가 없었다. 일어나선 안 되는 일이었다. 그는 바닥에 털썩 무릎을 꿇고는 두 손을 모아 하늘에다 비비며 간절히 빌었다. 제발 일어났던 일을 일어나지 않은 일로 해달라고! 그는 무릎을 꿇고 그 상태로 한참을 앞으로 기어갔다. 시선은 하늘에서 떼지 않았다. 하늘에서 시선을 떼는 순간 하늘이 자신의 기도를 들어 주지 않고 사라져 버리기라도 할 것처럼. 행복했던 시절의 영상이 눈앞에 떠올랐다. 시간이 가면서 옅은 안개 사이로 점점 더 많은 영상이 둥둥 떠올랐다. 어떤 것들은 갑작스러운 광채 속에서 불쑥 솟구쳤고, 어떤 것들은 그것이 어떤 순간이었는지 알아차리기도 전에 아득히 사라졌다. 그는 이제 눈 속에 앉아 있었다. 빛과 색깔, 삶과 행복에 도취된 채. 그가 처음에 느꼈던 막연한 공포, 그러니까 무언가가 올 것이고 모든 것이 소멸될 거라는 공포는 사라졌다. 사위가 고요했다. 마음도 차분하게 가라앉았다. 영상은 사라졌지만 행복은 남았다. 깊은 정적이었다. 어떤 소리도 없었다. 다만 마음속에는 미혹의 소리가 남아 있었다. 웃음과 노랫소리가 들렸다. 나직한 말소리와 가벼운 발소리가 들렸다. 흐느끼듯 물을 펌프질하는 둔탁한 엔진 소리가 들렸다. 그는 울먹이며 떠났다. 한참 동안 달려 호수에 닿았다. 호숫가를 따라 걷다가 마침내 나무 그루터기에 풀썩 쓰러져 지친 채 가만히 누워 있었다.

호수 물이 부드럽게 찰랑거리며 자갈 위를 굴렀고, 앙상한 나뭇가지에는 바람이 살며시 지나갔다. 호수 위에서는 까마귀가 새된 목소리로 울며 날아갔다. 눈부신 아침 햇살이 숲과 호수, 눈밭, 창백한 대지 위에 떨어졌다. 해가 뜨자 인근 숲의 산지기가 그를 발견해 니콜라이 숲 관리인의 집으로 옮겼다. 그는 몇 주 동안 생사를 오가며 누워 있었다.

모겐스가 니콜라이의 집으로 옮겨지던 무렵에 사법관이 사는 거리 끝에서는 마차 주위에 많은 사람이 모여 있었다. 마부는 경찰이 왜 정당한 임무를 수행하려는 자신을 들어가지 못하게 하는지 이해가 되지 않았다. 그 바람에 서로 간에 약간의 다툼이 있었다. 카밀라를 고모 집으로 데려가기로 한 바로 그 마차였다.

「불쌍한 카밀라가 그렇게 어처구니없이 죽고 난 뒤로 그 사람은 코빼기도 안 보이네요.」

「맞습니다, 한 인간 속에 뭐가 숨어 있는지는 정말 알다가도 모르겠군요. 아무도 의심을 안 했잖습니까! 그렇게 조용하고 수줍어하고 어색해하던 사람이. 그렇지 않습니까, 부인? 부인께서도 전혀 의심을 안 하셨죠?」

「병 말인가요? 무슨 뜻으로 묻는 건가요? 당신 말을 제대로 이해했는지 모르겠지만, 뭔가 유전적인 것이 있다는 말씀이신가요? 예, 그런 게 있었다는 기억이 나네요. 사람들이 카밀라의 아버지를 오르후스로 옮겼죠. 그렇지 않아요, 카를센 씨?」

「그랬죠. 카밀라의 아버지를 묻기 위해서였습니다. 그의 첫 부인이 거기 묻혀 있거든요. 근데 내가 말한 건 그게 아니랍니다. 다른 끔찍한 것에 관한 얘기였어요. 그 친구가 2년 또는 2년 반 동안 보여 주었던 그 끔찍한 삶 말입니다.」

「그래요? 그 이야긴 전혀 모르는데요!」

「그러시군요. 입에 담고 싶지 않은 이야기입니다. 별로 말하고 싶지 않은……. 그게 우리와 가까이 지냈던 이웃에 대한 배려라는 건 부인께서도 당연히 이해하시겠죠. 사법관의 가족은…….」

「예, 당신 말은 물론 일리가 있어요. 하지만 다른 측면에서는…… 솔직히 말해 주세요. 이웃의 결함을 숨기는 건 경건주의 냄새가 나는 잘못된 일 아닌가요? 나로서는 잘 이해가 안 돼요. 그리 되면 진실이나 공중도덕이, 그러니까 개인적인 도덕이 아니라 공중도덕이 피해를 본다고 생각하지 않으세요?」

「물론이죠! 그 점에서는 부인과 생각이 일치하는 게 무척 기쁘군요. 그 친구의 경우는…… 사실 간단합니다. 온갖 종류의 탈선을 저지른 거죠. 밑바닥 비천한 족속들과 어울려 다니면서 방탕한 짓을 일삼고, 명예나 양심, 직장, 종교도 없는 것들과 상스러운 짓을 했던 것입니다. 좀도둑이나 사기꾼, 주정뱅이 같은 인간들과 말입니다. 게다가 진실의 이름으로 말하자면, 헤픈 여자들하고도 온갖 난잡한 짓을 다 했다고 합니다.」

「어머, 그래요? 카밀라와 약혼까지 한 사람이? 약혼녀를 잃고 석 달 동안 뇌염으로 앓아 누웠던 사람이?」

「그러게 말입니다. 그런 성향에는 무슨 전제 조건이 있지 않을까요? 우리가 의심하는 게 그거죠. 사실 그 친구의 과거가 어땠는지 누가 알겠습니까? 어떻게 생각하세요?」

「그러네요. 약혼 기간에도 어땠는지 알 수 없죠. 사실 좀 수상하긴 했어요. 개인적인 생각이지만.」

「실례합니다, 부인, 그리고 카를센 씨. 말씀 중에 끼어

들어서 죄송합니다만, 두 분께서는 지금 이 문제를 상당히 추상적인 관점으로 바라보고 계신 것 같습니다. 저는 우연히 월란 반도에 사는 한 친구로부터 그와 관련해서 매우 구체적인 이야기를 들은 적이 있는데, 원하신다면 자세한 내용을 말씀드릴 수 있습니다.」

「뢴홀트 씨, 설마 우리 이야기가 틀렸다고 말씀하시려는 건…….」

「듣기 원하세요? 네, 부인께서 좋다고 하시는군요. 고맙습니다. 그럼 말씀드리죠. 그 청년은 보통 사람들이 뇌염을 앓고 난 뒤에 살았던 대로 살지 않았습니다. 장터에서 몇몇 주정뱅이들과 어울려 다녔고, 좀도둑 패거리와도 접촉이 없지 않았죠. 특히 몸 파는 여자들과도요. 이왕 말이 나왔으니 내가 집에 가서 그 친구한테 받은 편지를 갖고 오는 게 나을 것 같습니다. 그래도 될까요? 예, 그럼 바로 돌아오겠습니다.」

「카를센 씨, 오늘따라 유난히 뢴홀트 씨가 기분이 좋아 보이지 않나요?」

「그래 보이는군요! 오늘 터트릴 분노와 짜증을 조간신문 기사를 보면서 다 터뜨린 게 분명합니다. 그렇다고 그 사람 말에 넘어가서는 안 됩니다. 이건 도덕적 타락과 법 위반에 관한 이야기입니다. 왜냐하면— 흠흠…….」

「편지를 찾으셨나요, 뢴홀트 씨?」

「물론이죠. 그럼 시작해 볼까요? 일단 편지 좀 보겠습니다. ……자, 이제 읽겠습니다. 〈우리가 함께 아는 그 친구는 지난 몇 달 동안 이 지방에 묵었네. 작년에 뮌스테드에서 만났고, 자네가 코펜하겐에서 알게 됐다는 그 친구 말이네. 그때나 똑같은 모습이더군. 무언가 알 수 없는 슬픔에 잠긴 창백한 기사라고 할까! 게다가 겉으로 가장한 부박함과 조용한 절망이 이상한 방식으로 섞여 있었네. 타인뿐 아니라 자신에게도 전혀 배려를 보이지 않고 가혹하게 구는 것도 모두 일부러 꾸민 짓 같았네. 평소엔 조용하고 말수가 없었네. 술을 퍼마시고 소란을 피우는 것 말고는 하는 일이 없는데도 전혀 삶을 즐기는 것 같지 않았네. 내가 예전에 말했던 그대로였네. 그러니까 자신이 운명으로부터 아주 심한 모욕을 당했다고 굳게 믿고 있는 것 같았지. 어쨌든 그 친구가 여기서 자주 어울리는 사람은 말 상인이네. 오직 노래 부르고 술 마실 생각밖에 안 하는 술고래지. 또 한 사람은 선원과 행상의 잡종에 해당하는 멀쑥하고 타락한 친구네. 별명이 통제 불능 페르인데 두려움의 대상이지. 아름다운 아벨론이라고 불리기도 하고. 어쨌든 최근에 이 작자가 여자 하나를 패거리에 끌어들였네. 여기서 얼마 동안 밧줄 묘기나 차력 같은 공연으로 우리를 즐겁게 해 준 곡예단 소속의 여자지. 자네도 이런 여자를 알 걸세. 안색이 누렇게 뜨고 얼굴선이 날카롭고 실제 나이보다 훨씬 늙어 보이는 여자인데, 잔인함과 가난, 온갖 상스러운 악덕으로 찌들고, 거기다 늘 추레한 벨벳과 더러운 빨간색 옷을 입고 다니는 계집이지. 이렇게 세 사람이 그 친구의 패거리네. 나는 그 친구의 이런 광기 어린 삶을 이해할 수가 없네. 약혼녀의 비극적인 죽음만으로는 설명이 안 된다는 말이지. 이제 그 친구가 우리를 떠난 과정도 이야기하겠네. 여기서 몇 마일 떨어진 곳에서 장이 열렸네. 통제 불가페르, 그러니까 말 상인과 그 너저분한 계집은 천막 포장마차에서 밤늦도록 술을 마셨네. 그러다 마침내 새벽 세 시경에 떠날 준비를 했네. 마차를 타고 말이지. 마차는 우리의 친구가 몰았네. 처음엔 모든 게 순조로웠네. 그런데 그 친구가 갑자기 대로에서 방향을 틀어 들판과 황야로 마차를 몰고 갔네. 말만 달릴 수 있을 만큼 거친 길이었지. 마차는 좌우로 심하게 요동을 쳤네. 말 상인은 도저히 견딜 수가 없어 내려 달라고 고함을 쳤네. 말 상인이 내리자 우리의 친구는 다시 거칠게 채찍을 내리치며 출발했네. 그러고는 곧장 높직한 언덕으로 향했지. 그러자 계집까지 겁을 먹고 뛰어내렸네. 이제 마차는 무시무시한 속도로 언덕을 오르락내리락했네. 마차가 뒤집어엎어지지 않은 게 기적이라고 할 정도였지. 오르막길에서 통제 불능 페르도 뛰어내렸는데, 내릴 때 이렇게 거칠게 마차를 몬 것에 대한 감사의 표시로 마부의 머리통에다 커다란 잭나이프를 날렸네.」

「불쌍한 인간! 하지만 그 여자와의 일은 정말 역겹네요.」

「그래요, 추악하죠, 부인. 정말 추악합니다. 그런데 뢴홀트 씨, 당신은 이 이야기가 그 친구에 대한 우리의 생각을 좀 더 좋은 쪽으로 바꾸어 놓을 수 있다고 생각하십니까?」

「아뇨. 하지만 실상을 좀 더 분명하게 보여 주었다고는 생각합니다. 소문은 항상 실상보다 부풀려질 때가 많으니까요.」

「이보다 추악한 일을 생각해 낼 수 있을까요?」

「없다면 이게 가장 나쁜 일이겠죠. 하지만 타인에게서 최악을 기대하는 것은 옳지 않습니다.」

「그 말은 당신 생각엔 이 모든 게 그리 나쁘지 않다는 뜻이군요. 당신의 민주주의적 성향에 맞는 뭔가 신선하고 대중적인 것이 그 속에 담겨 있어서 말입니까?」

「주변 세계에 대한 그 친구의 행동이 무척 귀족적이었

다고 생각하지 않으십니까?」

「귀족적이라고요? 아뇨, 그건 자가당착입니다. 그 친구가 민주주의자가 아니라면 나는 그가 어떤 사람인지 정말 알다가도 모르겠어요.」

「글쎄요, 다른 명칭도 있긴 하죠.」

귀룽나무에 흰 꽃이 만발했다. 푸른 라일락과 산사나무, 화려한 나도싸리에도 꽃이 활짝 피어 집 안 가득 향기를 내뿜고 있었다. 블라인드가 내려진 창문은 열려 있었다. 모겐스는 블라인드에 등을 기댄 채 창가에 서 있었다. 여름 햇살이 강렬하게 내리쬐는 숲과 물, 대기를 바라보다가 방 안의 부드럽고 고요하고 은은한 빛으로 시선을 돌리는 것은 눈엔 참 고마운 일이었다. 크고 풍만한 한 여인이 창문을 등진 채 커다란 화병에 꽃을 꽂고 있었다. 핑크빛 모닝 가운의 허리 부분은 가슴 아래에서 검은 가죽 허리띠로 졸라매져 있었고, 그녀 뒤편의 바닥에는 눈처럼 흰 드레싱 재킷이 얌전히 누워 있었으며, 검붉은 머리 망사 사이로는 풍성한 금발이 등 뒤로 치렁치렁 내려와 있었다.

「오늘 당신 얼굴이 좀 창백해 보여. 어제 술자리를 해서 그런가?」 모겐스의 입에서 흘러나온 첫마디였다.

「굿모닝.」 그녀는 이렇게 말하고는 돌아보지도 않고 그에게 손을 내밀었다. 손에는 꽃이 들려 있었다. 모겐스는 꽃 한 송이를 받았다. 라우라는 고개를 반쯤 돌리더니 손을 약간 벌렸다. 나머지 꽃들이 바닥에 툭 떨어졌다. 그녀는 다시 화병에 꽃을 꽂기 시작했다.

「몸이 안 좋아?」 모겐스가 물었다.

「피곤해서 그래.」

「오늘은 당신과 아침을 먹을 수 없어.」

「그래?」

「점심도 같이 먹지 않을 거야.」

「낚시 가려고?」

「아니! 떠나려고.」

「언제 와?」

「오지 않아.」

「무슨 뜻이야?」 그녀는 옷을 매만지더니 창가로 가서 의자에 앉았다.

「당신이 지겨워졌어. 그뿐이야!」

「왜 그래? 나한테 화나는 일이라도 있어? 내가 무슨 잘못이라도 했어?」

「아니, 우리는 결혼도 하지 않았고 서로 미친 듯이 사랑하지도 않아. 그렇다면 내가 떠나는 것이 특별한 일이 아니겠지.」

「질투하는 거야?」 그녀가 나직이 물었다.

「당신 같은 여자한테? 어이가 없군.」

「자꾸 왜 이러는 건데?」

「당신의 아름다움에 질렸다는 뜻이야. 이젠 당신 목소리와 당신의 움직임을 외울 지경이야. 당신의 변덕도, 당신의 어리석음도, 당신의 교활함도 더는 즐겁지가 않아. 그런데도 내가 여기 남을 이유가 있을까?」

라우라가 울기 시작했다. 「모겐스! 모겐스! 당신이 어떻게 이럴 수 있어? 난 어쩌라고, 난 어쩌라고, 난 어쩌라고! 오늘만 같이 있어 줘. 오늘만, 모겐스. 오늘만 나를 떠나지 말아 줘.」

「당신을 속이지 마, 라우라. 이건 당신 자신을 속이는 거야. 당신이 이렇게 슬퍼하는 건 나를 끔찍이 생각해서가 아냐. 우리 사이의 변화가 약간 당혹스러운 것뿐이야. 당신의 일상적 습관에 자잘한 방해가 생기는 것이 두려운 것뿐이라고! 난 그걸 잘 알아. 이렇게 싫증이 난 여자가 당신이 처음은 아니니까.」

「제발 오늘만 함께 있어 줘. 그러면 더 이상 잡지 않을게. 아니, 단 한 시간이라도 같이 있어 줘.」

「너희 여자라는 것들은 정말 개들과 똑같아! 몸 안에

명예라고는 조금도 없어. 걷어차이면 항상 발발 기면서 다시 돌아오지.」

「그래, 그래, 우린 그래. 그러니까 오늘만 함께 있어 줘. 응? 여기 있어 줘!」

「있어 달라고? 있어 달라고? 안 돼!」

「아, 당신은 나를 사랑한 적이 없군, 모겐스.」

「없어.」

「아니. 당신은 나를 사랑했어. 바람이 거세게 몰아치던 그날 당신은 나를 사랑했어. 우리가 저 아래 바닷가에서 함께 보트를 탔던 그 아름다운 날 말야!」

「멍청하기는!」

「내가 지금의 이런 여자가 아니라 정상적인 가정에서 자란 여자였다면 당신은 내 곁에 남았겠지? 이렇게 내 마음을 아프게 하지는 않겠지? 이렇게 잔인하게 떠나지는 않겠지? 당신을 이렇게 사랑하는 나를!」

「너는 나를 사랑하지 않았어.」

「그래, 난 당신 발밑의 먼지 같은 존재였어. 발톱의 때보다 못한 존재였어. 당신은 한 번도 사랑스러운 말을 해 준 적이 없어. 오직 가혹하고 잔인한 말만 내뱉었지. 그런 식의 경멸은 이제 충분해.」

「다른 여자들이라고 당신보다 낫지도 않았고, 못하지

도 않았어. 잘 있어, 라우라!」

그는 손을 내밀었다. 하지만 그녀는 등 뒤로 손을 감추고는 흐느꼈다.「안 돼, 안 돼, 안녕은 안 돼. 안녕은 안 돼!」

모겐스는 블라인드를 올리고는 뒤로 몇 걸음 물러나서 그녀를 창문 앞으로 밀었다. 라우라는 재빨리 벽에 기대며 애원했다.「나한테 와! 이리 와서 손을 내밀어 줘.」

「안 돼.」

그가 얼마간 걸어갔을 때 등 뒤에서 그녀의 애절한 목소리가 들렸다.「안녕, 모겐스!」

그는 등을 돌리고는 가볍게 인사했다. 그런 다음 다시 발걸음을 옮겼다.「저런 여자가 아직도 사랑을 믿는다고? 믿기는 무슨.」

바다에서 저녁 바람이 뭍으로 불어 왔다. 갯보리의 파리한 이삭이 바람에 흔들렸고, 뾰쪽한 이파리는 공중으로 살짝 들렸으며, 골풀은 하늘하늘 춤을 추었고, 모래언덕의 물줄기는 수많은 고랑 때문에 어두워졌고, 수련 잎은 줄기에서 불안하게 움찔거렸다. 이어 히스꽃의 뾰쪽한 끄트머리가 고개를 끄덕거리기 시작했고, 들에서는 수레국화가 쉼 없이 한들한들 몸을 흔들어 댔다. 내륙으로 좀 더 들어가 보자! 경사진 곳에 귀리 밭이 펼쳐져 있었고, 그루터기만 남은 밭에서는 토끼풀이 파르르 떨고 있었고, 밀은 무거운 수레에 실려 위아래로 흔들리며 집으로 옮겨지는 중이었고, 지붕은 길게 이어졌으며, 물레방아는 삐걱거렸고, 풍차 날개는 돌아갔고, 연기는 굴뚝으로 다시 말려 들어갔고, 유리창에는 김이 서렸다.

귀족 저택의 지붕창과 미루나무에 바람이 쌩 하고 지나갔다. 초록빛 베르비에르 언덕의 울창한 덤불에서도 바람 지나가는 소리가 들렸다. 모겐스는 언덕 위에 누워 어두운 대지를 하염없이 내려다보고 있었다. 달은 막 광채를 띠기 시작했고, 안개는 저 아래 초원으로 서서히 밀려가고 있었다. 인생 전체가 참 슬펐다. 지나온 삶은 공허했고, 남은 삶은 음울했다. 단 한 번뿐이라는 삶이 그랬다. 행복한 이들은 눈먼 인간들이었다. 그는 불행을 통해 세상 보는 법을 배웠다. 모든 것이 불의와 거짓투성이였다. 온 땅덩어리가 굴러가는 하나의 거대한 거짓이었다. 지조와 우정, 자비, 이런 것들은 모두 거짓이었다. 이 세상 가장 작은 것들조차 모두 거짓이었다. 그중에서도 사람들이 사랑이라고 부르는 것은 가장 공허한 빈껍데기에 불과했다. 사랑은 쾌락이었다. 활활 불타오르는 쾌락, 은은하게 타오르는 쾌락, 식어서 연기만 피어오르는 쾌락이었다. 그때그때 모습은 조금씩 달리할 뿐 모두 쾌락에 지나지 않았다. 그는 이것을 어떻게 알게 되었을까? 그는 왜 이렇게 겉만 번지르르한 거짓들에 대한 믿음을 잃어버렸을까? 남들은 눈 멀었는데 자신은 어째서 그것들이 훤히 보이는가? 그도 눈 멀 권리가 있었고, 그래서 한때는 남들이 믿는 모든 것을 믿지 않았던가?

저 아래 마을에서는 하나둘 불이 켜졌다.

집들이 다닥다닥 붙어 있었다. 아, 나의 집! 나의 집! 아, 세상이 아름답다고 믿었던 내 어린 시절! 만일 남들의 생각이 옳다면, 이 세상이 두근거리는 설렘으로 가득 차 있고, 저 하늘에 사랑으로 충만한 신이 존재한다면! 어째서 나는 그것을 모르고 다른 것을 알까? 그 다른 무엇은 어찌도 이리 선연하고 괴롭고 진실할까!

그는 일어났다. 들판과 초원이 달빛을 그득 받으며 앞에 펼쳐져 있었다. 그는 저택 옆의 길을 따라 마을로 내려갔다. 도중에 돌담 너머로 저택 쪽을 바라보았다. 정원 풀밭에 은빛 미루나무가 한 그루 서 있었다. 파르르 떠는 나뭇잎이 달빛에 선명하게 드러났다. 어떤 때는 어두운 면이, 어떤 때는 밝은 면이. 그는 울타리에 두 팔을 올린 채 미루나무를 응시했다. 나뭇잎이 가지에서 흘러내리는 듯했다. 흘러내리는 소리도 들리는 듯했다. 그때였다. 아주 가까운 곳에서 불현듯 어느 여인의 아름다운 목소리가 울려 퍼졌다.

너 이슬 머금은 꽃이여!
너 이슬 머금은 꽃이여!
내게 네 꿈을 속삭여 줘.
네 꿈에도 나의 꿈과 마찬가지로
야릇한 분위기와
신기한 요정 나라의 향기가
스며들어 있을까?
내 꿈들엔 속삭임과 한숨과 슬픔이 없어.
그저 나는
흩어지는 향기 속에서, 사라져 버리는 빛 속에서,
떨리는 울림 속에서, 달콤한 노랫소리 속에서,
그리움 속에서, 그리움 속에서
살아가.

이어 정적이 흘렀다. 모겐스는 숨을 깊이 들이쉬며 긴장한 채 귀를 기울였다. 어떤 소리도 들리지 않았다. 저 위 저택에서 문소리만 들렸다. 이제 은빛 미루나무 나뭇잎이 살랑대는 소리가 또렷이 귓속으로 파고들었다. 그는 두 팔에 얼굴을 묻고 울었다.

이튿날도 늦여름의 정취가 물씬 풍기는 나날 중 하루였다. 바람은 서늘하고 맑았고, 구름은 하늘에서 빠르게 흘러갔으며, 구름이 해를 가릴 때마다 하늘은 어두워졌다가 다시 밝아지기를 반복했다. 모겐스는 교회 공동묘지로 올라갔다. 저택 정원과 인접한 묘지였다. 여기 위쪽의 풍경은 상당히 스산했다. 풀은 베여 나갔고, 낡은 사각형 쇠울타리 뒤쪽에 자리 잡은 나지막한 딱총나무 덤불에서는 벌써 나뭇잎이 바닥으로 흩날리고 있었다. 묘지마다 나무 테두리가 쳐져 있었다. 대부분의 묘지는 사각형의 낮은 봉분을 이루고 있었는데, 그중 몇몇에는 비문이 적힌 양철 구조물이 있었고, 다른 묘지에는 빛바랜 나무 십자가가 있었다. 또 다른 묘지들에는 밀랍 화환이 놓여 있었고, 대부분의 묘지에는 아무것도 없었다. 모겐스는 바람이 들이치지 않는 장소를 물색했다. 그러나 예배당 사방으로 바람이 불지 않는 곳은 없어 보였다. 결국 그는 한 묘지 옆에 털썩 주저앉아 주머니에서 책을 한 권 꺼냈다. 하지만 읽지는 않았다. 구름이 해를 가릴 때마다 너무 서늘해진 느낌이 들어 일어날까 하다가 다시 해가 비치면 곧 그 생각을 지워 버렸다. 한 아가씨가 천천히 길을 따라 올라오고 있었다. 뒤에서는 그레이하운드 한 마리와 포인트 한 마리가 장난을 치며 따르고 있었다. 그녀는 걸음을 멈추고 어딘가에 앉으려고 하다가 모겐스를 발견하고는 공동묘지를 가로질러 출입구 쪽으로 향했다. 모겐스는 일어나 여자의 뒷모습을 지켜보았다. 그녀는 저 아래 넓은 길로 내려갔다. 개들은 여전히 장난을 치며 뒤따랐다. 모겐스는 한 묘지의 비문을 읽기 시작했다. 그런데 비문을 읽다가 웃음을 터뜨렸다. 그때였다. 갑자기 한 그림자가 묘지 위에 내려앉더니 멈추었다. 모겐스는 고개를 돌렸다. 햇볕에 그을린 젊은 남자가 옆에 서 있었다. 한 손에는 사냥 가방을, 다른 한 속에는 엽총을 든 채.

「그리 웃기는 내용은 아닐 텐데요.」 남자가 고갯짓으로 비문을 가리켰다.

「예, 그렇진 않습니다.」 모겐스는 구부정한 자세에서 허리를 폈다.

「당신을 보면서 궁금증이 들었습니다.」 사냥꾼이 이렇게 말하며 마치 무언가를 찾는 사람처럼 옆으로 시선을 돌렸다. 「당신은 벌써 며칠 동안 이곳에 있었습니다. 당신을 보면서 의아한 마음이 들었지만, 아직 다가가서 묻지는 못했습니다. 늘 혼자 다니시더군요. 왜 우리 집은 방문하시지 않았습니까? 여기서 뭘 하면서 시간을 보내시나요? 이 지방에 무슨 볼일이 있어서 오신 게 아닌

가요?」

「예, 그냥 좀 즐기려고 왔습니다.」

「그러시군요. 여긴 즐길 게 많죠.」 남자가 웃었다. 「혹시 사냥은 어떠신가요? 나랑 같이 사냥하러 가시지 않겠습니까? 나는 일단 저 아래 대장간에 들러 총알을 사 갖고 와야 합니다. 그사이 준비가 되시면 함께 떠나시죠. 자, 같이 내려가실까요?」

「좋습니다.」

「근데 애는 어딜 갔나! 토라! 혹시 근처에서 아가씨 한 명 못 봤습니까?」 그가 제방으로 훌쩍 뛰어 올라갔다. 「아, 저기 있군요. 내 사촌입니다. 당장은 소개시켜 드릴 수 없지만, 이리 와서 한번 보세요. 우린 내기를 했습니다. 이제 당신이 심판을 봐주십시오. 토라가 개들과 함께 공동묘지에 서 있으면 내가 엽총과 사냥 가방을 들고 그 옆을 지나갈 겁니다. 개들을 부르지도 않고, 휘파람을 불지도 않으면서요. 그런데도 개들이 나를 따라 나서면 토라가 지는 겁니다. 자, 이제 어떻게 되나 한번 볼까요?」

얼마 뒤 두 사람은 아가씨에게 이르렀다. 사냥꾼은 사촌과 개들에게는 눈길 한 번 주지 않고 앞만 보고 계속 내려갔다. 다만 얼굴엔 미소가 떠나지 않았다. 모겐스는 지나가면서 그녀에게 목례를 했다. 개들은 놀란 눈으로 사냥꾼의 뒷모습을 바라보며 낑낑거리기 시작했고, 그러다 여자를 한 번 흘낏 올려다보면서 짖었다. 그녀가 개들을 쓰다듬어 주려고 하는 순간 개들은 그녀에게서 벗어나 사냥꾼 뒤를 쫓아가며 짖었다. 녀석들은 한 걸음 한 걸음 멀어졌고, 도중에 흘끔 그녀를 돌아다보기는 했지만, 이내 사냥꾼을 향해 부리나케 쫓아가더니 고삐 풀린 망아지처럼 반가워 펄쩍펄쩍 뛰었고, 미친 듯이 사방으로 달려갔다가 다시 돌아오곤 했다.

「네가 졌어!」 사냥꾼이 돌아보며 소리치자 그녀도 웃으면서 고개를 끄덕였다. 그는 다시 등을 돌리고 내려갔다.

사냥은 오후 늦게까지 계속되었다. 모겐스와 빌리암은 서로 잘 맞았다. 모겐스는 저녁에 저택으로 가겠다고 약속했다. 그러고 실제로 갔고, 나중에는 거의 매일 찾았다. 그러면서도 이 집에서 지내라는 집주인들의 친절한 초대는 번번이 사양하며 여관에 계속 묵었다.

모겐스에게 두근거림의 시간이 찾아왔다. 처음엔 토라와 함께 있으면 과거의 슬프고 음울한 기억이 다시 되살아났다. 그래서 그런 감정이 제어가 안 되면 갑자기 다른 사람과 대화를 시작하거나, 아니면 아예 자리를 뜨곤 했다. 사실 토라는 카밀라와 닮은 구석이 전혀 없었다.

그런데도 그는 그녀를 카밀라로 생각했다. 그녀를 보면 카밀라를 보는 듯했고, 그녀와 얘기하면 카밀라의 목소리가 들리는 듯했다. 토라는 작고 섬세하고 부드러운 여인이었다. 잘 웃고, 잘 울고, 쉽게 감격했다. 혹시 그녀가 누군가와 장시간 대화를 한다면 그건 인간적 친밀함의 표시가 아니라 오히려 자기 속으로 빨려 들어가는 듯했다. 누군가 그녀에게 무언가를 설명하거나 생각에 자극을 주면 그녀의 얼굴과 온몸은 내밀한 신뢰를 드러냈고, 가끔은 설렘을 표하기도 했다. 빌리암과 그의 친여동생은 토라를 온전히 동무로 취급하지 않았고, 그렇다고 낯선 사람처럼 여기지도 않았다. 삼촌과 숙모, 하인, 하녀, 그리고 이 지방의 농부들 모두 그녀의 비위를 맞추었다. 조심스럽게, 거의 불안해하며. 그들의 그런 태도는 마치 나그네가 숲속의 새를 대하는 태도와 비슷했다. 나그네 근처에 작고 귀여운 새 한 마리가 앉아 있다. 눈은 맑고 영리하고, 몸놀림은 하나하나 매혹적이다. 나그네는 이 작은 생명체를 가만히 지켜보는 것만으로도 기쁘다. 그러다 좀 더 가까이 다가가 만져 보고 싶지만, 감히 그러지 못하고 숨소리조차 크게 내지 못한다. 혹시라도 새가 겁을 먹고 날아가 버릴까 두려워서다.

모겐스는 토라를 자주 만날수록 과거의 기억이 점점

멀어져 갔다. 그와 함께 이제는 그녀의 있는 그대로의 모습이 보이기 시작했다. 그녀와 함께 있으면 평화와 행복이 가득했고, 그녀를 보지 못하면 은밀한 그리움과 고요한 슬픔에 휩싸였다. 나중에는 자신의 과거 삶과 카밀라에 대한 이야기도 나누었다. 그런데 이런 이야기를 하면서 스스로를 깜짝 놀라는 심정으로 되돌아보게 되었다. 심지어 어떤 때는 과거에 그렇게 이상한 행동을 하고, 이상한 생각을 하고, 이상한 감정에 빠진 것이 바로 자기 자신이었다는 사실을 도무지 이해할 수 없었다.

어느 날 저녁이었다. 그는 토라와 함께 정원의 나지막한 언덕에 서서 떨어지는 해를 바라보고 있었다. 빌리암과 그의 여동생은 언덕 주변에서 술래잡기를 했다. 석양빛이 수놓은 하늘에서는 수천의 밝고 가벼운 색상과 수백의 힘차고 찬란한 색상이 어우러져 있었다. 모겐스는 고개를 돌려 옆의 어두운 형체를 바라보았다. 타오르는 장관에 비하면 그녀의 모습은 얼마나 미미하던지! 그는 한숨을 내쉬며 수많은 색상으로 일렁이는 구름으로 다시 시선을 돌렸다. 이것은 실제 생각 같지 않았다. 아득한 곳에서 잠시 찾아와 덧없이 머무르다가 사라졌다. 마치 그런 생각을 하는 주체가 그의 눈이라도 되는 것처럼.

「이제 이 초록빛 언덕의 요정들이 좋아하겠네요. 해가

완전히 떨어졌으니까.」 토라가 말했다.

「아, 그래요?」

「그럼요. 요정이 어둠을 사랑한다는 걸 모르세요?」

모겐스의 얼굴에 엷은 미소가 피어올랐다.

「당신은 요정을 믿지 않는군요. 믿으셔야 해요. 숲속 요정이나 땅속 요정 같은 것을 믿는 게 얼마나 아름다운 일인데요. 나는 심지어 인어나 라일락 요정, 도깨비도 믿어요. 도깨비와 지옥의 말을 믿으면 얼마나 할 수 있는 일이 많게요. 물론 마렌 아줌마는 내가 이런 말을 하면 화를 내요. 그런 것을 믿는 건 신에 대한 불경이라는 거죠. 그런 것들은 사람들과는 아무 관련이 없고, 성경에도 그걸 경고하는 구절도 있다고 했어요. 당신 생각은 어때요?」

「내 생각이요? 잘 모르겠어요. 무슨 뜻으로 묻는 건지.」

「당신은 자연을 사랑하지 않는군요.」

「아뇨, 정반대예요.」

「내가 말한 건 전망 벤치나 언덕에서 보는 그런 자연이 아니에요. 그런 건 인위적으로 꾸민 무대 장치 같아요. 내가 말한 건 일상의 자연이에요. 그런 자연을 사랑하세요?」

「그럼요. 나는 꽃잎이든 나뭇가지든, 햇빛이든 그림자

든 하나하나 볼 때마다 즐거워요. 이 세상 어디에도 내가 순간적으로 사랑에 빠질 수 없을 만큼 삭막한 언덕은 없고, 네모난 석탄갱은 없고, 지루한 길은 없어요.」

「만일 숲속에 꽃을 여닫게 하고, 잎을 매끈하게 해 주는 생명체가 살고 있다고 생각하지 않는다면 나무와 덤불에서 어떤 즐거움을 느낄 수 있을까요? 호수를 보고 있다고 가정해 보세요. 맑고 깊은 호수예요. 당신이 그 호수를 사랑하는 건 저 깊은 물속에 자기만의 기쁨과 근심, 자기만의 신비한 삶과 야릇한 그리움을 가진 존재들이 살고 있다고 생각해서가 아닐까요? 여기 베르비에르 초록빛 언덕도 그래요. 이곳에 해가 뜨면 한숨짓고, 해가 지면 춤을 추거나 즐겁게 뛰놀기 시작하는 작은 생물체들이 우글대고 북적거린다고 생각하지 않는다면 이 언덕이 뭐가 아름답겠어요?」

「참으로 멋지고 아름다운 생각입니다! 정말 그렇게 믿으시나요?」

「당신은요?」

「설명하기는 어렵지만, 아무튼 색깔 속에, 움직임 속에, 형태 속에, 그리고 그 형태 안에 사는 생명체 속에는 무언가가 있어요. 나무와 꽃에 차오르는 수액, 그것들을 자라게 하는 비와 해, 그리고 바람에 쌓인 모래, 산비탈에 고랑을 균열을 만드는 소나기에도 뭔가가 있어요! 아, 그건 말로는 설명되지 않아요. 설명한다고 이해가 되지는 않아요.」

「그렇게 느낄 때가 많아요?」

「많아요. 너무 많아요! 형태와 색깔, 움직임이 무척 매혹적이고 가볍게 느껴지고, 또 이 모든 것 뒤에 생명체가 환호하고 한숨짓고 소망하고, 이 모든 것을 표현하고 노래하는 이상한 세계가 숨어 있다고 느껴지면 그 세계에 좀 더 가까이 다가갈 수 없다는 느낌 때문에 무척 외로워지고, 삶도 빛을 잃고 힘들어져요.」

「안 돼요, 안 돼! 약혼녀를 생각해서는 안 돼요!」

「아, 약혼녀를 생각하는 게 아니에요.」

그때 빌리암과 여동생이 다가왔고, 그들은 함께 집으로 돌아갔다.

며칠 뒤 오전이었다. 모겐스와 토라는 정원을 산책했다. 그는 포도나무 온실을 구경하고 싶어 했다. 거긴 아직 가 본 적이 없었다. 꽤 길기는 하지만 그리 높지는 않은 유리 온실이었다. 지붕은 노니는 햇빛으로 멀리서도 반짝거렸다. 온실에 들어서자 따뜻하고 축축한 공기가 훅 끼쳤고, 묘하게 답답하면서도 좋은 냄새가 났다. 마치 방금 뒤집어 놓은 흙냄새와 비슷했다. 아름답고 뾰쪽뾰쪽한 잎과 이슬을 머금은 무거운 포도송이가 햇살을 받으며 초록빛 행복에 겨워 유리 천장으로 뻗어 있었다. 토라는 행복한 표정으로 위를 올려다보았고, 모겐스는 불안해하면서 어떤 때는 슬프게 그녀를 바라보다가 어떤 때는 나뭇잎으로 시선을 돌렸다.

「들어 봐요.」 토라가 쾌활하게 말했다. 「이제야 당신이 며칠 전에 형태와 색깔에 관해 했던 말이 이해되기 시작해요.」

「그 전에는 이해를 못했다는 말인가요?」 모겐스가 낮은 목소리로 진지하게 물었다.

「예.」 그녀가 속삭이듯이 말했다. 이어 그를 흘낏 바라보고는 시선을 떨구었고, 얼굴이 발개졌다. 「그때는 이해하지 못했어요.」

「그때는!」 모겐스가 같은 말을 부드럽게 따라 하더니 그녀 앞에 한쪽 무릎을 꿇었다. 「그럼 지금은, 토라?」

그녀가 허리를 숙여 그에게 한 손을 내밀었고, 다른 손으로는 눈을 가리고 울었다. 모겐스는 일어나면서 그녀의 손을 자신의 가슴에 묻었다. 그녀가 상체를 일으키자 그는 그녀의 이마에다 입을 맞추었다. 그녀는 눈물에 젖어 반짝거리는 눈으로 그에게 미소를 지으며 속삭였다.

「당신을 이해하게 됐어요!」

모겐스는 일주일을 더 머문 뒤 포도가 익을 시기에 결혼식을 올리기로 하고 떠났다. 겨울이 을씨년스러운 낮과 긴 밤과 함께 찾아왔고, 그사이 수많은 편지가 오갔다.

저택은 창문마다 불이 켜져 있었고, 문이란 문은 모두 나뭇잎과 꽃으로 장식되어 있었다. 황혼녘이었다. 성장한 벗들과 지인들이 넓은 돌계단에 다닥다닥 붙어 서서 떠나는 마차를 향해 손을 흔들고 있었다. 모겐스가 젊은 신부를 데리고 떠나는 마차였다.

마차는 덜커덩거리며 달렸다. 닫힌 창문들이 삐걱거렸다. 토라는 한 창문으로 밖을 내다보았다. 도로변의 배수로, 봄이면 앵초가 만발하던 대장간 언덕, 베르텔 닐센네의 거대한 딱총나무 덤불, 물레방아, 방앗간 거위들, 어릴 적 빌리암과 함께 썰매를 타고 놀았던 언덕, 말들이 돌 더미를 매끄럽게 뛰어넘던 초원, 석탄갱, 호밀밭……. 그녀는 나직이 울었다. 유리창에 맺힌 이슬을 닦을 때는 이따금 모겐스를 몰래 훔쳐보았다. 그는 정장 저고리를 풀어 헤친 채 앞으로 몸을 구부리고 앉아 있었다. 두 손으로는 얼굴을 가리고 있었다. 앞좌석에 놓인 모자는 마차의 움직임에 따라 그네를 탔다. 그는 많은 생각을 하고 있었다. 그에게는 정말 멋진 날이었다. 그런데 이별이 온 몸의 용기를 앗아가 버린 듯했다. 그들은 친척과 친구들과 작별해야 했고, 저 하늘까지 기억이 켜켜이 쌓인 이 친숙한 곳과 이별해야 했다. 모든 게 그가 이 여자를 데려가기 위해서 벌어진 일이었다. 그는 한 여자가 안심하고 자신을 맡길 수 있는 남자였다. 물론 과거에는 한때 거친 방종의 삶을 살았고, 그게 단지 과거일 뿐일지도 확실치 않았다. 하지만 지금은 변했다. 과거에 자신이 그런 행동을 했다는 것을 이해하지 못할 정도로 변했다. 하지만 사람은 자기 자신에게서 완전히 벗어날 수는 없는 법이다. 그렇다면 과거의 그런 면은 여전히 남아 있었다. 이제 그는 이 순수한 여인을 지키고 보호해야 했다. 자신은 진탕 속에 머리끝까지 담그고 방탕하게 살았던 인간이었다. 어쩌면 그녀까지 그런 진탕에 빠뜨릴지도 몰랐다. 안 돼! 안 돼! 그런 일이 있어선 안 돼! 그녀는 앞으로도 계속 밝고 쾌활하게 살아가야 했다. 그가 옆에 있다고 해도 말이다.

마차는 덜커덩거리며 계속 나아갔다. 대지에 어둠이 짙게 깔렸다. 이제 김서린 유리창으로 보이는 것이라고는 지나가는 집과 농장에 켜진 불빛뿐이었다. 토라는 꾸벅꾸벅 졸고 있었다. 그들은 아침 무렵에 새 보금자리에

도착했다. 모겐스가 미리 사둔 농장이었다. 아침 공기가 차가운지 말들은 뜨거운 입김을 쏟아 냈고, 농장의 커다란 피나무에서는 참새들이 시끄럽게 재잘댔으며, 굴뚝에서는 느릿느릿 연기가 피어올랐다. 토라는 모겐스의 손을 잡고 마차에서 내리면서 이 새로운 풍경을 흐뭇한 미소로 바라보았다. 하지만 덮쳐 오는 수마를 막을 수는 없었다. 너무 졸리고 피곤했다. 모겐스는 그녀를 방으로 안내하고는 정원에 내려가 벤치에 앉았다. 떠오르는 아침 해를 보았다는 생각이 얼핏 들었지만 쏟아지는 잠으로 고개를 너무 심하게 꾸벅거리는 바람에 그 생각은 곧 사라졌다.

모겐스는 점심 무렵에 토라를 다시 만났다. 밝고 상쾌한 모습이었다. 두 사람은 집안 곳곳을 둘러보며 감탄을 터뜨렸고, 함께 상의하고 함께 결정을 내렸다. 가끔은 둘 다 실용적일 거라 생각해서 내놓은 제안이 실은 사정을 모르는 바보 같은 제안으로 판명되기도 했다. 토라는 암소들을 소개받았을 때 어떻게든 관심을 보이려고 얼마나 노력했는지 모른다. 반면에 털 많은 작은 강아지를 볼 때는 너무 좋아하는 티를 내지 않으려고 애썼다. 모겐스는 배수 시설과 곡물 가격에 대해 이야기하면서도 속으로는 토라의 머리에 붉은 양귀비꽃을 꽂으면 어떨까 생각하고 있었다.

저녁이었다. 두 사람은 정원방에 앉아 있었다. 달빛이 방바닥에 창문 모양을 선명하게 그려 내고 있었다. 그런데 두 사람이 여기서 벌이는 실랑이는 한 편의 희극을 방불케 했다. 그가 그녀를 진지하게 타일렀다. 자야 한다고. 쉬어야 한다고. 노독으로 몸이 몹시 고단할 것이기 때문이다. 하지만 말은 이렇게 하면서도 이야기하는 내내 그녀의 손을 놓지 못했다. 이번에는 그녀가 나섰다. 당신은 참 무정한 사람이다. 그녀를 귀찮은 존재처럼 떼어 내려 하고 있다. 혹시 아내를 맞은 것을 벌써 후회하는 건 아니냐고 따져 물었다. 곧이어 자연스럽게 화해의 시간이 찾아왔고, 두 사람은 웃었다. 밤이 깊었다. 마침내 토라는 자기 방으로 갔고, 모겐스는 남았다. 그녀가 떠나고 나니 가슴이 찢어지도록 아팠다. 이어 그의 머릿속에 어두운 환상이 떠올랐다. 그녀가 죽어 땅에 묻히고, 세상에 홀로 남은 그가 그녀를 애도하며 우는 상상이었다. 그러다 마지막엔 실제로 울음을 터뜨렸다. 그는 스스로에게 화가 났고, 방 안을 이리저리 서성이며 정신을 차리려 했다. 이 집엔 사랑이 있었다. 거칠고 세속적인 욕망이 없는 순수하고 고결한 사랑이었다. 여기엔 그런 사랑이 있어야 했다. 아직 그런 사랑이 없다면 만들어야 했다. 모든 것을 파괴하는 욕정은 너무 추악하고 비인간적이었다. 그는 인간 본성에서 순수하고 맑고 단정하지 않은 모든 것을 증오했다. 그는 한때 그 추악하고 거대한 욕정의 노예가 되었고, 그 힘에 짓눌려 무수한 고통을 받았다. 그건 아직도 그의 눈과 귀 속에 남아 있었고, 그의 모든 생각을 오염시켰다.

마침내 그는 자기 방으로 갔다. 책을 읽으려고 책을 집어 들었다. 그런데 글자가 눈에 들어오지 않았다. 머릿속에서는 다른 생각이 스멀거렸다. 안 돼, 그녀에게 그런 짓을 할 수는 없어! 그럴 순 없어! 그럼에도 더 이상 견디지 못하고 무언가에 이끌리듯이 살금살금 그녀 방으로 다가갔다. 안 돼! 머릿속이 계속 요동쳤다. 방 안은 고요하고 평화로웠다. 유심히 귀를 기울이니 그녀의 숨소리가 들리는 것 같았다. 자신의 고동치는 심장 소리도 들리는 듯했다. 그는 다시 방으로 돌아와 책을 집어 들었다. 눈을 감았다. 그러자 그녀의 모습이 생생하게 떠올랐다. 그녀의 목소리가 들렸다. 그녀가 그에게로 몸을 숙여 속삭였다. 아, 그는 그녀를 얼마나 사랑하는가! 얼마나 사랑하는가! 얼마나 사랑하는가! 마음속에서 이 말이 마치 노랫소리처럼 울려 퍼졌다. 그의 생각도 노랫소리에 박자를 맞추는 듯했다. 지금 자신의 생각 속 모든 것이 너무나 선명하게 보였다. 그녀는 고요히, 아주 고요히 자고 있었다. 팔을 베고, 머리는 풀어헤치고, 눈은 감고, 부드럽게 숨을 쉬고 있었다. 방 안의 공기가 파르르 떨렸다. 그녀의 얼굴은 마치 장미의 반사광처럼 붉었다. 요정의 춤을 어설프게 흉내 내는 고대의 파우누스처럼 그녀의 몸을 덮고 있는 이불이 투박한 주름 속에서 그녀의 부드러운 형체를 드러내고 있었다. 안 돼, 안 돼! 그는 그녀를 생각하지 않으려 했다. 생각해서는 안 되었다. 안 돼! 어떤 일이 있어도 안 돼! 그러나 그 모든 생각이 다시 찾아와 떠나지 않았다. 떠나보내야 했다. 멀리 보내야 했다! 그 생각은 오고 가기를 반복했고, 그러다 마침내 그는 잠이 들었고, 밤이 지났다.

이튿날 저녁 해가 지자 두 사람은 함께 정원을 산책했다. 팔짱을 끼고 천천히 말없이 걸었다. 어떤 길은 올라갔고, 어떤 길은 내려갔다. 가끔 장미향 사이로 목서(木犀) 향과 재스민 향이 섞여서 났다. 밤나방 몇 마리가 그들 곁을 하늘하늘 날아갔고, 저기 들판에서는 메추라기 뜸부기가 울었다. 그것 말고는 대부분 토라의 비단옷이 만들어 내는 소리밖에 들리지 않았다.

「언제까지 이렇게 말을 안 할 거야?」 토라가 소리쳤다.

「우리가 걸을 수 있을 때까지.」 모겐스가 말했다. 「우린 이제 1마일밖에 안 걸었어.」

두 사람은 다시 얼마간 침묵하며 걸었다.

「무슨 생각 해?」 그녀가 물었다.

「나 자신에 대해.」

「나도 방금 그랬는데.」

「당신도 당신 자신을 생각했다고?」

「아니, 당신을 생각했어, 모겐스 당신을.」

그는 그녀를 자기 쪽으로 조금 더 바짝 당겼다. 두 사람은 정원방을 향해 걸어갔다. 문은 열려 있었고, 안은 무척 환했다. 눈처럼 흰 보가 깔린 테이블, 빨간 딸기가 담긴 은그릇, 반짝거리는 은주전자, 그리고 샹들리에 촛대가 축제의 분위기를 자아내고 있었다.

「헨젤과 그레텔이 숲속에서 생강빵으로 만든 집에 도착했을 때처럼 동화 분위기가 나.」 토라가 말했다.

「들어가겠어?」

「저 안에 마녀가 사는 걸 잊었어? 우리가 들어가면 마녀는 우리를 구워서 잡아먹으려고 할 거야. 안 돼. 차라리 설탕 창문과 팬케이크 지붕의 유혹을 이겨 내고, 서로 손을 잡고 다시 어두운 숲속으로 돌아가는 게 훨씬 나아.」

그들은 정원방에서 멀어졌다. 그녀는 모겐스의 몸에 찰싹 붙으며 말을 이어갔다.

「아까 저긴 터키 술탄의 궁전일 수도 있어. 당신은 나를 빼앗아 가려고 사막에서 온 아랍인이지. 술탄의 경비원들이 칼을 번쩍이며 우리를 쫓아와. 우리는 도망치고 또 도망쳐. 그러다 결국 경비원들이 당신의 말을 낚아채고, 우리는 커다란 자루에 넣어진 채 바다에 던져져 익사해. 잠깐만…… 생각 좀 해봐야겠어. 그거 말고 다른 방법은 없는지.」

「그대로 가면 왜 안 되지?」

「뭐, 그래도 되지만…… 그건 너무 부족한 것 같아. 내가 당신을 얼마나 사랑하는지 안다면…… 나는 너무 불행해. 왜 그런지는 모르겠지만…… 우리 사이에 큰 거리가 있는 것 같아. 그건 안 돼!」

그녀가 그의 목을 두 팔로 감고 격렬하게 키스하더니 뜨거운 뺨을 그의 얼굴에다 비볐다.

「왜 그런지는 모르겠지만, 가끔은 당신이 차라리 나를 때렸으면 하는 소망을 품어. 그게 얼마나 유치한 생각인지는 나도 알아. 내가 얼마나 행복한지도 알아. 하지만…… 하지만 무척 불행한 느낌이 들어.」

그녀가 그의 가슴에다 얼굴을 묻고 울기 시작했다. 그

러다 여전히 눈물을 흘리면서 흥얼거리기 시작했다. 처음에는 나직하던 노랫소리가 점점 커져 나갔다.

그저 나는……
그리움 속에서, 그리움 속에서
살아가.

「아, 나의 사랑, 나의 어여쁜 여자!」 모겐스를 그녀를 두 팔로 번쩍 안고 집 안으로 들어갔다.

이튿날 아침 그는 그녀의 침대 옆에 서 있었다. 내려진 커튼 사이로 햇빛이 차분하고 묵직하게 흘러 들어와 방 안의 모든 선들을 고요히 드러내고, 모든 색깔에 만족스럽고 평화로운 분위기를 심어 주었다. 방 안의 공기도 그녀 가슴의 일렁임과 함께 고요한 물결 속에서 부드럽게 오르내리는 듯했다. 그녀의 머리는 베개 위에 약간 삐딱하게 누워 있었고, 머리카락은 하얀 이마로 내려왔으며, 한쪽 뺨은 다른 쪽 뺨보다 더 붉었다. 이따금 아치형의 눈썹이 파르르 떨었고, 입가의 선은 드러나지 않을 만큼 미세한 진동과 함께 무의식적인 진지함과 편안한 미소 사이를 오가는 듯했다. 모겐스는 그렇게 한참을 서서 행복한 표정으로 그녀를 차분하게 내려다보았다. 이제 그의 과거에서 남은 마지막 어두운 그림자도 모두 사라졌다. 그는 살며시 방을 나왔고, 거실에 앉아 그녀를 기다렸다. 그러고 얼마가 지났을까, 그녀의 얼굴이 그의 어깨에 살포시 기대고, 그녀의 뺨이 자신의 뺨에 닿는 것을 느꼈다.

그들은 함께 상쾌한 아침 속으로 걸어 나갔다. 햇빛은 대지 위에서 환호했고, 이슬방울은 반짝거렸고, 일찍 잠이 깬 꽃들은 찬란하게 빛났고, 저 위 하늘에서는 종달새가 지저귀었고, 제비는 공중에 선을 그리며 빠르게 지나갔다. 그들은 울타리가 쳐진 목초지를 지나 오솔길을 따라 호밀밭이 있는 언덕으로 향했다. 그녀는 느릿느릿 앞서 걸으며 이따금 어깨 너머를 그를 돌아보았다. 그들은 이야기하고 웃었다. 언덕을 넘어 점점 내려갈수록 뒤편의 호밀밭은 점점 높아졌다. 두 사람은 모습은 곧 보이지 않았다.

역자 해설

몽상적 현실주의자의 고독한 유산

야콥센의 삶과 문학

1885년 4월 30일 옌스 페테르 야콥센이 숨을 거두었을 때 세상에 남긴 작품은 몇 되지 않았다. 장편소설 두 편, 중단편 여섯 편, 시 몇 편이 전부였다. 병마와 싸우느라 마흔도 안 되는 나이에 세상을 떠난 탓도 있지만, 쉴 새 없이 작품을 세상에 내놓음으로써 자신을 드러내는 것을 작가의 사명으로 여기지 않는 사람이었기 때문이기도 하다. 그는 스물여섯 살에 이탈리아를 여행하다가 걸린 결핵으로 평생을 고생하면서 느릿느릿 작품을 써 나갔다. 글쓰기로 명성을 얻겠다는 야망 같은 건 애초에 없었다. 게다가 작품을 작가 자신과 바로 연결짓는 것도 부끄러워해서 그의 삶에 대해 알려진 것은 많지 않다. 그럼에도 그가 유럽 문학사에서 남긴 족적은 결코 적지 않다.

야콥센은 1847년 4월 7일 덴마크의 작은 도시 티스테드에서 부유한 상인의 아들로 태어났다. 그의 입을 빌리자면 성장기 중에는 특별히 언급할 만한 일이 없었다고 한다. 다만 언급할 수 없는 것들 속에 오히려 흥미로운 이야기들이 담겨 있을 수 있다고 말한다. 1868년 그는 코펜하겐 대학에 입학해 식물학을 전공했고, 녹조류에 관한 논문으로 대학 학술상을 받았다. 그로써 그의 삶은 과학자의 길로 들어서는 듯했다. 게다가 그는 찰스 다윈의 열렬한 옹호자였다. 다윈의 대표적인 작품 『종의 기원』과 『인간의 유래』를 덴마크어로 옮겼고, 진화론과 과학에 대한 확신 속에서 기독교를 버리고 무신론자가 되었다. 이후 결핵으로 학문의 길을 포기해야 했지만 그건 그의 삶에서 그리 큰 손실이 아니었다. 그에게는 숙명처럼 다가온 문학의 길이 있었기 때문이다. 물론 과학은 그의 삶과 문학에 큰 흔적을 남겼다. 자연과 세상을 보는 눈이 바뀌었고, 그것을 작품으로 풀어내는 방식에도 변화가 생겼다. 식물학 전공자답게 자연의 벗을 자처하며 작품 배경으로서 식물을 인상주의적으로 정밀하게 묘사해 냈다.

그가 본격적으로 글쓰기를 시작한 것은 당시 북유럽에서 근대적 신문학 운동의 기수였던 게오르그 브라네스를 만나면서부터였다. 야콥센은 브라네스의 권유로 소설을 쓰기 시작해서 스물다섯 살에 첫 작품 「모겐스Mogens」를 발표했다. 소설은 성공했고, 작가는 힘을 얻었다. 그러나 들뜨지는 않고 세상의 박수갈채를 조용한 기쁨으로 받아들였다. 일부 작품을 폄훼하는 성급하고 피상적인 평론도 있었지만 개의치 않았다. 이후 창작은 그에게 쓰라린 고통 속의 행복으로 자리 잡아 갔다.

장편소설 『마리 그루베 부인*Fru Marie Grubbe*』은 1876년에 출간되었다. 사랑을 좇아 왕자비의 자리를 버리고 마부의 아내가 되어 삶의 행복을 찾는다는 역사적 실존 인물의 이야기다. 1880년에는 이탈리아 여행에서 돌아와 두 번째 장편소설 『닐스 뤼네*Niels Lyhne*』를 발표했다. 기독교에서 무신론으로 돌아서는 주인공의 운명을 그린 성장 소설이다. 이후 1881년에는 단편 「베르가모의 페스트Pesten i Bergamo」를 발표했고, 1882년에는 「모겐스」 등 중단편 여섯 편을 모두 모아 『모겐스와 기타 단편들*Mogens og andre Noveller*』을 출간했다. 이 번역서의 원본이 되는 책이다.

야콥센은 『닐스 뤼네』에서 고통스러운 깨달음을 이야기한다. 〈무척 슬픈 일이지만…… 우리의 영혼은 늘 외로울 수밖에 없다. 영혼과 영혼의 융합을 이야기하는 것은 모두 거짓이다. 우리를 안아 주는 어머니도, 우리가 사랑하는 친구나 아내도 결코 우리 자신과 하나 될 수 없다.〉 인간은 결국 이 세상의 이방인이자 외로운 나그네다. 타자와 하나 될 수 없다면 마음의 안식은 자기와의 하나 됨에서 구할 수밖에 없다. 그러려면 자신에게 가치와 의미 있는 것을 찾고, 대상 속에 숨겨진 것과 이해할 수 없는 것을 포착해 내야 한다. 외관은 중요하지 않다. 그는 독일과 이탈리아 땅을 여행했지만, 겉으로 보이는 것에는 마음이 움직이지 않았다. 다만 고향 땅에서, 침묵하는 길에서, 도중에 만난 꽃에서 풍요로운 존재의 심연을 보았다.

야콥센은 우리가 일상에서 만나는 것들에서 새로운 가치와 의미를 발견한다. 우리가 그에게 감탄하는 것도 그 때문이다. 그는 남들이 보지 못하고 듣지 못하는 것을 보고, 아주 사소한 것에서 우리가 몰랐던 것들을 잡아낸다. 이로써 그는 자연과 은밀하면서도 내밀한 관계를 맺는다. 그의 작품이 그렇게 깊이 있고 잊히지 않는 이유도 여기에 있다. 작품의 플롯은 중요하지 않다. 아주 미미한 것조차 어떤 체계주의자도 할 수 없을 만큼 생생하게 드러낸다. 그런 면에서 야콥센은 현실 세계와 거리를 둔 몽상가이면서 지독한 현실주의자이다. 그는 자신이 받아들인 방식으로 인물과 풍경, 대상을 묘사한다. 그의 문체에는 봄의 숨결이 넘실대는 숲처럼 무한한 신선함과 달콤함이 담겨 있다.

야콥센의 작품은 삶과 사람의 깊은 곳을 건드린다. 그는 대상에 대한 즉물적인 감정을 드러내는 것이 아니라 대상의 배후에서 은밀하게 작용하는 근본적인 것을 탐하고, 우리에게 감정을 불러일으키고 우리를 움직이게 하는 근원을 찾는다. 그것을 인식했다 싶으면 그것을 드러내는 표현은 오직 하나뿐이라는 듯이 묘사한다. 그는 다수를 위해 글을 쓰지 않는다. 그에게는 섬세하고 날카롭고, 상상력이 풍부하고, 지적인 독자가 필요하다. 작품 속에서 말하지 않는 것과 새로운 것을 알아볼 수 있는 소수의 독자만 그와 함께 보고 그와 함께 느낀다. 그는 독자들에게 고양된 현실 속에서 사물을 바라볼 것을 가르친다. 또한 꽃이 단순히 잎과 색깔, 향기의 총합 이상이고, 인간의 깊은 행복과 본질은 결국 고독 속에 있음을 말하고자 한다.

야콥센의 주요 특징으로는 인간의 마음에 대한 깊이 있고 내밀한 이해와 정확한 관찰, 정밀한 묘사를 꼽을 수 있다. 그런데 그가 창조해 낸 등장인물들은 과학자의 현미경으로 들여다본 인체 기관들의 합계라기보다는 작가의 경험과 상상력으로 되살아난 생생한 세포들의 실존이다. 그는 한 편지에서 진정으로 가치 있는 작품이라면 인간을 자기 방식으로 존재하지 못하게 하는 모든 것들에 대한 저항을 담고 있어야 한다고 말했는데, 이는 야콥센의 모든 작품을 관통하는 근본 에토스이기도 하다.

야콥센의 문학은 다른 작가들에 비해 작품의 물리적 양은 미미하지만, 북부 유럽 문학에서 의미 있는 이정표를 세웠다. 새로운 문학적 접근 방법을 제시하고, 나름의 독특한 산문 장르를 개발했다고 해도 과언이 아니다. 1880년 이후 스칸디나비아 문학권의 작가들 치고 야콥센의 영향을 직간접적으로 받지 않는 작가는 거의 없다고 한다.

국제적 영향력도 상당했다. 독일에서 그의 소설과 시는 널리 읽혔다. 라이너 마리아 릴케는 섬세한 감정과 자연의 분위기를 정밀하게 재현한 야콥센의 시에 큰 감명을 받았고, 『젊은 시인에게 보내는 편지*Briefe an einen jungen Dichter*』에서는 야콥센의 중단편집을 극찬했다. 또한 가혹한 세상에 내던져진 무신론자의 운명을 그린 『닐스 뤼네』는 릴케의 『말테의 수기*Die Aufzeichnungen des Malte Laurids Brigge*』에 큰 영감을 주었다. 토마스 만의 「토니오 크뢰거Tonio Kröger」 역시 『닐스 뤼네』의 영향을 받은 작품이고, 고트프리트 벤의 연작시 『대화 *Gespräch*』에서도 야콥센의 영향이 뚜렷이 드러난다. 그 밖에 영국 소설가 조지 기싱, D. H. 로런스, 헨리크 입센, 지크문트 프로이트, 헤르만 헤세, 슈테판 츠바이크, T. E. 로런스 같은 대가들도 야콥센의 작품에서 영향을 받았다. 또한 그의 문학적 울림은 음악으로도 퍼져 나갔다. 오스트리아 작곡가 아르놀트 쇤베르크는 야콥센의 텍스트를 토대로 칸타타 「구레의 노래Gurre-Lieder」를 작곡했고, 영국 작곡가 프레더릭 딜리어스는 오페라 「페니모어와 게르다Fennimore and Gerda」 역시 『닐스 뤼네』를 바탕으로 한 것이다.

작품 해설

스칸디나비아의 근대적 신문학을 열었다는 평가와 함께 덴마크의 국민 작가로도 불리는 옌스 페테르 야콥센의 이 소설집에는 「베르가모의 페스트」를 포함해 총 여섯 편이 실려 있다.

「베르가모의 페스트」(1881)는 통제 불가능한 전염병이 돌 때 인간들이 보이는 반응과 심리를 다룬다. 베르가모에 페스트가 창궐한다. 사람들이 하나둘 죽어 나가자 다들 불안에 떨며 대기 정화를 이유를 환자들의 집에 불을 지른다. 그래도 소용이 없자 도망을 친다. 그러나 갈 곳이 없다. 전염병을 옮기는 숙주로 낙인 찍혀 어디에도 발을 붙이지 못하기 때문이다. 도망칠 곳이 없는 사람들은 이제 도시에 남을 수밖에 없다. 페스트가 처음 발발했을 때만 해도 인간들은 힘을 합쳤다. 환자를 돌보고, 죽은 사람을 정중히 묻고, 가난한 사람들에게 물품을 나누어 주고, 줄지어 교회로 가서 하늘에다 이 병으로부터 자신들을 구해 줄 것을 두 손 모아 기도한다. 그러나 하늘은 대답이 없다. 아무리 간절히 기도해도 바뀌는 것이 없자 그들은 기도하던 손을 내려놓고 하늘에다 삿대질을 하기 시작한다. 어디 마음대로 해보라는 식이다. 이제 그들은 언제 죽을지 모르는 상황에서 오늘을 즐기기로 마음먹고 방탕한 생활에 빠진다. 신을 향한 모독이 판치고, 술과 향락으로 절망감을 잊으려 한다. 또 다른 일각에서는 신에게 의지할 수 없다면 주술과 미신에 기대 병을 퇴치하고자 한다. 이제 사람들의 마음속엔 타인에 대한 도움이나 동정 같은 감정은 사라지고, 남은 것은 오로지 각자도생뿐이다.

이런 상황에서 참회자의 행렬이 도시에 찾아온다. 이 모든 것이 신에 대한 믿음이 없어짐으로써 생긴 일임을 자기 학대와 고행으로 보여 주는 무리다. 그들은 신을 믿고, 신에 대한 두려움을 가지라고 가르친다. 베르가모 주민들은 이들을 능욕하고 신을 모독한다. 그런데 마지막에 묘한 반전이 일어난다. 신과 인간을 중재하는 그리스도는 존재하지 않고, 인간의 일은 오직 인간만이 해결해 나갈 수밖에 없다는 메시지를 던지고 행렬은 사라진다.

「안개 속의 총성Et Skud i Taagen」(1875)은 사랑의 응답을 받지 못한 남자의 증오와 복수심이 부른 비극적인 이야기를 담았다. 「베르가모의 페스트」와 함께 세계 단편 걸작집에 자주 등장하는 단편이다.

「푄스 부인Fru Fønss」(1882)은 당시로선 파격적인 여성상을 제시하는 작품이다. 부인은 첫사랑이 있었지만, 별로 내세울 것이 없는 남자라는 이유로 부모가 반대하면서 맺어지지 못하고, 대신 집에서 정해 준 배필과 결혼해서 무난한 결혼 생활을 이어 간다. 그러다 남편이 죽자 자식들만 돌보는 평범한 미망인의 삶을 산다. 그런데 한 여행길에서 예전의 첫사랑을 우연히 다시 만나 서로의 굳건한 애정을 확인하면서 새로운 삶을 꿈꾼다. 하지만 이번에는 자식들의 반대에 부딪힌다. 자식들은 그녀에게 어머니로서의 역할만 요구하며 여자로서의 행복을 포기하라고 강요한다. 삶과 사랑은 오직 그들 청춘만의 것이고, 부인에게는 어머니의 길밖에 없다는 청춘의 오만한 요구다. 부인은 절연까지 각오하고 자식들의 요구를 단호히 뿌리치고 자신의 길을 택한다. 어머니로서의 삶만 요구하는 시대적 편견에 맞서 한 여성으로서의 사랑과 행복을 당당히 추구하는 근대적 여성상의 표본이다.

「여기 장미가 있었다네Der burde have været Roser」(1881)는 사라진 장미 덩굴을 통해 사랑의 덧없음을 환상 동화의 분위기로 풀어내는 작품이다.

「두 세계To Verdener」(1879)는 자신의 병을 남에게 옮겨 주었다는 잘못된 믿음으로 야기된 자기 파멸적인 상황을 보여 준다.

「모겐스」(1872)는 야콥센의 첫 작품이며 이 책에서 가장 긴 중편이다. 자연의 아들로 자란 청년이 첫 사랑의 상실로 슬픔과 절망에 빠져 자포자기적인 방탕의 삶을 살다가 다른 사랑을 만나 치유되는 과정에서 인간의 유전적 요인과 환경적 요인에 대한 성찰을 보여 준다.

번역의 대본은 독일어판 Jens Peter Jacobsen, *Sechs Novellen*, übersetzt von Marie von Borch (Berlin: Holzinger, 2017)이다. 같은 책의 구서체판(Weimar: Gustav Kipenheuer Verlag, 1912)과 독일어판 전집 1권 *Gesammelt Werke Band I — Novellen Briefe Gedichte*, übersetzt von Marie Herzfeld (Jena: Eugen Diedrichs Verlag, 1919)도 참조했다.

2020년 4월

박종대

옌스 페테르 야콥센 연보

1847년 출생 4월 7일 덴마크 윌란 반도의 티스테드에서 유복한 상인의 아들로 태어남.

1863년 17세 대학 진학을 위해 코펜하겐으로 이주.

1867년 20세 코펜하겐 대학에서 식물학 공부.

1872년 25세 중편소설 「모겐스Mogens」로 데뷔. 여기서 그는 인간이 따라야 할 자연의 근본 질서를 현대적 의미로 제시하는데, 특히 인상주의적 문체로 각광을 받음. 스칸디나비아 현대 문학의 창시자로 일컬어지는 문예평론가 게오르그 브라네스Georg Brandes와 에드바르 브라네스Edvard Brandes와 긴밀한 관계를 맺고, 그들을 통해 문학적 꿈을 불태움.

1873년 26세 녹조류에 대한 연구로 대학 학술상을 받음. 찰스 다윈Charles Darwin의 『종의 기원*The Origin of Species*』과 『인간의 유래*The Descent of Man*』를 덴마크어로 번역함. 당시 다윈의 이론은 북유럽에 잘 알려지지 않은 상태였음. 다윈과 에른스트 헤켈Ernst Haeckel의 영향으로 기독교 신앙을 버리고 자연주의적 세계관으로 돌아섬. 이탈리아 여행 중에 결핵에 걸리고, 이후 나머지 생은 이 질병과의 싸움과 창작력 손실과의 악전고투로 점철됨.

1875년 28세 단편 「안개 속의 총성Et Skud i Taagen」 발표.

1876년 29세 장편소설 『마리 그루베 부인*Fru Marie Grubbe*』 출간. 사랑 때문에 왕자비에서 내려와 마부의 아내가 되지만 거기서 삶의 행복을 찾는 역사적 실존 인물의 이야기를 다룸. 이 소설은 뒷날 D. H. 로런스에게도 영향을 주었다고 알려짐. 당시 코펜하겐 문화계에서 영향력이 아주 컸던 게오르그 브라네스와 계속 긴밀한 교류를 이어감.

1880년 33세 프랑스와 이탈리아 여행에서 돌아와 두 번째 장편소설 『닐스 뤼네*Niels Lyhne*』를 발표함. 기독교를 버리고 무신론으로 돌아서는 과정을 그린 성장 소설. 〈무신론의 성경〉이라는 비평을 받음. 이후 야콥센은 질병에 끌려다니느라 몇몇 단편 말고는 더 이상 문학작품을 완성하지 못함.

1881년 34세 단편 「여기 장미가 있었다네Der burde have været Roser」, 「베르가모의 페스트Pesten i Bergamo」 발표.

1882년 35세 단편 「푄스 부인Fru Fønss」 발표. 「모겐스」를 비롯해 여섯 편의 중단편을 모아 『모겐스와 기타 단편들*Mogens og andre Noveller*』 출간.

1884년 37세 라이프치히의 인젤Insel 출판사에서 독일어판 전집 출간. 독일은 야콥센을 가장 적극적으로 수용한 나라로, 『닐스 뤼네』는 이후 100년간 17개의 독일어 번역이 나왔음.

1885년 38세 4월 30일 고향 도시 티스테드에서 숨을 거둠.

1886년 유고 시집 『시와 초고들*Digte og Udkast*』 출간.

1892년 「베르가모의 페스트」가 프랑스 『정치와 문학 잡지*La Revue politique et littéraire*』에 번역 게재됨.

1895년 프로이트는 빌헬름 플리스Wilhelm Fließ에게 보낸 편지에서 〈지난 9년간 읽은 어느 작가도 야콥센만큼 감동을 주지 못했다〉고 씀.

1910년 릴케의 『말테의 수기*Die Aufzeichnungen des Malte Laurids Brigge*』 출간. 그의 유일한 장편소설. 주인공이 덴마크인인 이 작품은 『닐스 뤼네』의 강한 영향을 받고 쓰인 것임. 릴케는 야콥센을 원어로 읽기 위해 덴마크어를 배웠음.

1913년 오스트리아 작곡가 아르놀트 쇤베르크Arnold Schönberg의 칸타타 「구레의 노래Gurre-Lieder」 초연됨. 야콥센의 시에 곡을 붙인 작품.

1919년 영국 작곡가 프레더릭 딜리어스Frederick Delius의 오페라 「페니모어와 게르다Fennimore and Gerda」 초연됨. 『닐스 뤼네』를 바탕으로 한 오페라.

1929년 릴케의 『젊은 시인에게 보내는 편지*Briefe an einem jungen Dichter*』 출간됨. 1902~1908년 사이에 무명 시인 프란츠 크사버 카푸스Franz Xaver Kappus에게 보낸 열 통의 격려 편지를 묶은 책. 여기서 릴케는 자신에게 가장 중요한 책 두 권은 성경과 야콥센의 작품집이라고 언급.

1993년 벨기에 천문학자 에리크 발테르 엘스트Eric Walter Elst가 새로 발견한 소행성 12352에 예페야콥센Jepejacobsen이라는 이름을 붙임.

열린책들 세계문학 249 **베르가모의 페스트** 외

옮긴이 박종대 성균관대학교에서 독어독문학과와 대학원을 졸업하고 독일 쾰른에서 문학과 철학을 공부했다. 사람이건 사건이건 표층보다 이면에 관심이 많고 어떻게 사는 것이 진정 자기를 위하는 길인지 고민하는 제대로 된 이기주의자가 꿈이다. 지금껏 『뷔히너 전집』, 『그리고 신은 얘기나 좀 하자고 말했다』, 『악마도 때론 인간일 뿐이다』, 『9990개의 치즈』, 『군인』, 『데미안』, 『수레바퀴 아래서』, 『바르톨로메는 개가 아니다』, 『나폴레옹 놀이』, 『유랑극단』, 『목매달린 여우의 숲』, 『늦여름』, 『토마스 만 단편선』, 『위대한 패배자』, 『주말』, 『귀향』 등 많은 책을 번역했다.

지은이 옌스 페테르 야콥센 **옮긴이** 박종대 **발행인** 홍지웅·홍예빈
발행처 주식회사 열린책들 **주소** 경기도 파주시 문발로 253 파주출판도시
전화 031-955-4000 **팩스** 031-955-4004 **홈페이지** www.openbooks.co.kr

ISBN 978-89-329-1249-3 04850 **ISBN** 978-89-329-1499-2 (세트)
발행일 2020년 4월 25일 세계문학판 1쇄

이 도서의 국립중앙도서관 출판예정도서목록(CIP)은 서지정보유통지원시스템 홈페이지(http://seoji.nl.go.kr)와 국가자료공동목록시스템(http://www.nl.go.kr/kolisnet)에서 이용하실 수 있습니다.(CIP제어번호 : CIP2020014360)

열린책들 세계문학
Open Books World Literature

001 **죄와 벌** 표도르 도스또예프스끼 장편소설 | 홍대화 옮김 | 전2권 | 각 408, 504면

003 **최초의 인간** 알베르 카뮈 장편소설 | 김화영 옮김 | 392면

004 **소설** 제임스 미치너 장편소설 | 윤희기 옮김 | 전2권 | 각 280, 368면

006 **개를 데리고 다니는 부인** 안똔 체호프 소설선집 | 오종우 옮김 | 368면

007 **우주 만화** 이탈로 칼비노 단편집 | 김운찬 옮김 | 416면

008 **댈러웨이 부인** 버지니아 울프 장편소설 | 최애리 옮김 | 296면

009 **어머니** 막심 고리끼 장편소설 | 최윤락 옮김 | 544면

010 **변신** 프란츠 카프카 중단편집 | 홍성광 옮김 | 464면

011 **전도서에 바치는 장미** 로저 젤라즈니 중단편집 | 김상훈 옮김 | 432면

012 **대위의 딸** 알렉산드르 뿌쉬낀 장편소설 | 석영중 옮김 | 240면

013 **바다의 침묵** 베르코르 소설선집 | 이상해 옮김 | 256면

014 **원수들, 사랑 이야기** 아이작 싱어 장편소설 | 김진준 옮김 | 320면

015 **백치** 표도르 도스또예프스끼 장편소설 | 김근식 옮김 | 전2권 | 각 500, 528면

017 **1984년** 조지 오웰 장편소설 | 박경서 옮김 | 392면

018 **수용소군도** 알렉산드르 솔제니찐 기록문학 | 김학수 옮김 | 480면

019 **이상한 나라의 앨리스** 루이스 캐럴 환상동화 | 머빈 피크 그림 | 최용준 옮김 | 336면

020 **베네치아에서의 죽음** 토마스 만 중단편집 | 홍성광 옮김 | 432면

021 **그리스인 조르바** 니코스 카잔차키스 장편소설 | 이윤기 옮김 | 488면

022 **벚꽃 동산** 안똔 체호프 희곡선집 | 오종우 옮김 | 336면

023 **연애 소설 읽는 노인** 루이스 세풀베다 장편소설 | 정창 옮김 | 192면

024 **젊은 사자들** 어윈 쇼 장편소설 | 정영문 옮김 | 전2권 | 각 416, 408면

026 **젊은 베르테르의 슬픔** 요한 볼프강 폰 괴테 장편소설 | 김인순 옮김 | 240면

027 **시라노** 에드몽 로스탕 희곡 | 이상해 옮김 | 256면

028 **전망 좋은 방** E. M. 포스터 장편소설 | 고정아 옮김 | 352면

029 **까라마조프 씨네 형제들** 표도르 도스또예프스끼 장편소설 | 이대우 옮김 | 전3권 | 각 496, 496, 460면

032 **프랑스 중위의 여자** 존 파울즈 장편소설 | 김석희 옮김 | 전2권 | 각 344면

034 **소립자** 미셸 우엘벡 장편소설 | 이세욱 옮김 | 448면

035 **영혼의 자서전** 니코스 카잔차키스 자서전 | 안정효 옮김 | 전2권 | 각 352, 408면

037 **우리들** 예브게니 자먀찐 장편소설 | 석영중 옮김 | 320면

038 **뉴욕 3부작** 폴 오스터 장편소설 | 황보석 옮김 | 480면

039 **닥터 지바고** 보리스 빠스쩨르나끄 장편소설 | 박형규 옮김 | 전2권 | 각 400, 512면

041 **고리오 영감** 오노레 드 발자크 장편소설 | 임희근 옮김 | 456면

042 **뿌리** 알렉스 헤일리 장편소설 | 안정효 옮김 | 전2권 | 각 400, 448면

044 **백년보다 긴 하루** 친기즈 아이뜨마또프 장편소설 | 황보석 옮김 | 560면

045 **최후의 세계** 크리스토프 란스마이어 장편소설 | 장희권 옮김 | 264면

046 **추운 나라에서 돌아온 스파이** 존 르카레 장편소설 | 김석희 옮김 | 368면

047 **산도칸 — 몸프라쳼의 호랑이** 에밀리오 살가리 장편소설 | 유향란 옮김 | 428면

048 **기적의 시대** 보리슬라프 페키치 장편소설 | 이윤기 옮김 | 560면

049 **그리고 죽음** 짐 크레이스 장편소설 | 김석희 옮김 | 224면

050 **세설** 다니자키 준이치로 장편소설 | 송태욱 옮김 | 전2권 | 각 480면

052 **세상이 끝날 때까지 아직 10억 년** 스뜨루가츠끼 형제 장편소설 | 석영중 옮김 | 224면

053 **동물 농장** 조지 오웰 장편소설 | 박경서 옮김 | 208면

054 **캉디드 혹은 낙관주의** 볼테르 장편소설 | 이봉지 옮김 | 232면

055 **도적 떼** 프리드리히 폰 실러 희곡 | 김인순 옮김 | 264면

056 **플로베르의 앵무새** 줄리언 반스 장편소설 | 신재실 옮김 | 320면

057 **악령** 표도르 도스또예프스끼 장편소설 | 박혜경 옮김 | 전3권 | 각 328, 408, 528면

060 **의심스러운 싸움** 존 스타인벡 장편소설 | 윤희기 옮김 | 340면

061 **몽유병자들** 헤르만 브로흐 장편소설 | 김경연 옮김 | 전2권 | 각 568, 544면

063 **몰타의 매** 대실 해밋 장편소설 | 고정아 옮김 | 304면

064 **마야꼬프스끼 선집** 블라지미르 마야꼬프스끼 선집 | 석영중 옮김 | 384면

065 **드라큘라** 브램 스토커 장편소설 | 이세욱 옮김 | 전2권 | 각 340, 344면

067 **서부 전선 이상 없다** 에리히 마리아 레마르크 장편소설 | 홍성광 옮김 | 336면

068 **적과 흑** 스탕달 장편소설 | 임미경 옮김 | 전2권 | 각 376, 368면

070 **지상에서 영원으로** 제임스 존스 장편소설 | 이종인 옮김 | 전3권 | 각 396, 380, 388면

073 **파우스트** 요한 볼프강 폰 괴테 희곡 | 김인순 옮김 | 568면

074 **쾌걸 조로** 존스턴 매컬리 장편소설 | 김훈 옮김 | 316면

075 **거장과 마르가리따** 미하일 불가꼬프 장편소설 | 홍대화 옮김 | 전2권 | 각 364, 328면
077 **순수의 시대** 이디스 워튼 장편소설 | 고정아 옮김 | 448면
078 **검의 대가** 아르투로 페레스 레베르테 장편소설 | 김수진 옮김 | 376면
079 **예브게니 오네긴** 알렉산드르 뿌쉬낀 운문소설 | 석영중 옮김 | 328면
080 **장미의 이름** 움베르토 에코 장편소설 | 이윤기 옮김 | 전2권 | 각 440, 448면
082 **향수** 파트리크 쥐스킨트 장편소설 | 강명순 옮김 | 384면
083 **여자를 안다는 것** 아모스 오즈 장편소설 | 최창모 옮김 | 280면
084 **나는 고양이로소이다** 나쓰메 소세키 장편소설 | 김난주 옮김 | 544면
085 **웃는 남자** 빅토르 위고 장편소설 | 이형식 옮김 | 전2권 | 각 472, 496면
087 **아웃 오브 아프리카** 카렌 블릭센 장편소설 | 민승남 옮김 | 480면
088 **무엇을 할 것인가** 니꼴라이 체르니셰프스끼 장편소설 | 서정록 옮김 | 전2권 | 각 360, 404면
090 **도나 플로르와 그녀의 두 남편** 조르지 아마두 장편소설 | 오숙은 옮김 | 전2권 | 각 328, 308면
092 **미사고의 숲** 로버트 홀드스톡 장편소설 | 김상훈 옮김 | 416면
093 **신곡** 단테 알리기에리 장편서사시 | 김운찬 옮김 | 전3권 | 각 292, 296, 328면
096 **교수** 샬럿 브론테 장편소설 | 배미영 옮김 | 368면
097 **노름꾼** 표도르 도스또예프스끼 장편소설 | 이재필 옮김 | 320면
098 **하워즈 엔드** E. M. 포스터 장편소설 | 고정아 옮김 | 512면
099 **최후의 유혹** 니코스 카잔차키스 장편소설 | 안정효 옮김 | 전2권 | 각 408면
101 **키리냐가** 마이크 레스닉 장편소설 | 최용준 옮김 | 464면
102 **바스커빌가의 개** 아서 코넌 도일 장편소설 | 조영학 옮김 | 264면
103 **버마 시절** 조지 오웰 장편소설 | 박경서 옮김 | 400면
104 **10 1/2장으로 쓴 세계 역사** 줄리언 반스 장편소설 | 신재실 옮김 | 464면
105 **죽음의 집의 기록** 표도르 도스또예프스끼 장편소설 | 이덕형 옮김 | 528면
106 **소유** 앤토니어 수전 바이어트 장편소설 | 윤희기 옮김 | 전2권 | 각 440, 480면
108 **미성년** 표도르 도스또예프스끼 장편소설 | 이상룡 옮김 | 전2권 | 각 512, 544면
110 **성 앙투안느의 유혹** 귀스타브 플로베르 희곡소설 | 김용은 옮김 | 584면
111 **밤으로의 긴 여로** 유진 오닐 희곡 | 강유나 옮김 | 240면
112 **마법사** 존 파울즈 장편소설 | 정영문 옮김 | 전2권 | 각 512, 552면
114 **스쩨빤치꼬보 마을 사람들** 표도르 도스또예프스끼 장편소설 | 변현태 옮김 | 416면
115 **플랑드르 거장의 그림** 아르투로 페레스 레베르테 장편소설 | 정창 옮김 | 512면

116 **분신** 표도르 도스또예프스끼 장편소설 | 석영중 옮김 | 288면

117 **가난한 사람들** 표도르 도스또예프스끼 장편소설 | 석영중 옮김 | 256면

118 **인형의 집** 헨리크 입센 희곡 | 김창화 옮김 | 272면

119 **영원한 남편** 표도르 도스또예프스끼 장편소설 | 정명자 외 옮김 | 448면

120 **알코올** 기욤 아폴리네르 시집 | 황현산 옮김 | 352면

121 **지하로부터의 수기** 표도르 도스또예프스끼 장편소설 | 계동준 옮김 | 256면

122 **어느 작가의 오후** 페터 한트케 중편소설 | 홍성광 옮김 | 160면

123 **아저씨의 꿈** 표도르 도스또예프스끼 장편소설 | 박종소 옮김 | 304면

124 **네또츠까 네즈바노바** 표도르 도스또예프스끼 장편소설 | 박재만 옮김 | 316면

125 **곤두박질** 마이클 프레인 장편소설 | 최용준 옮김 | 528면

126 **백야 외** 표도르 도스또예프스끼 소설선집 | 석영중 외 옮김 | 408면

127 **살라미나의 병사들** 하비에르 세르카스 장편소설 | 김창민 옮김 | 304면

128 **뻬쩨르부르그 연대기 외** 표도르 도스또예프스끼 소설선집 | 이항재 옮김 | 296면

129 **상처받은 사람들** 표도르 도스또예프스끼 장편소설 | 윤우섭 옮김 | 전2권 | 각 296, 392면

131 **악어 외** 표도르 도스또예프스끼 소설선집 | 박혜경 외 옮김 | 312면

132 **허클베리 핀의 모험** 마크 트웨인 장편소설 | 윤교찬 옮김 | 416면

133 **부활** 레프 똘스또이 장편소설 | 이대우 옮김 | 전2권 | 각 308, 416면

135 **보물섬** 로버트 루이스 스티븐슨 장편소설 | 머빈 피크 그림 | 최용준 옮김 | 360면

136 **천일야화** 앙투안 갈랑 엮음 | 임호경 옮김 | 전6권 | 각 336, 328, 372, 392, 344, 320면

142 **아버지와 아들** 이반 뚜르게네프 장편소설 | 이상원 옮김 | 328면

143 **오만과 편견** 제인 오스틴 장편소설 | 원유경 옮김 | 480면

144 **천로 역정** 존 버니언 우화소설 | 이동일 옮김 | 432면

145 **대주교에게 죽음이 오다** 윌라 캐더 장편소설 | 윤명옥 옮김 | 352면

146 **권력과 영광** 그레이엄 그린 장편소설 | 김연수 옮김 | 384면

147 **80일간의 세계 일주** 쥘 베른 장편소설 | 고정아 옮김 | 352면

148 **바람과 함께 사라지다** 마거릿 미첼 장편소설 | 안정효 옮김 | 전3권 | 각 616, 640, 640면

151 **기탄잘리** 라빈드라나트 타고르 시집 | 장경렬 옮김 | 224면

152 **도리언 그레이의 초상** 오스카 와일드 장편소설 | 윤희기 옮김 | 384면

153 **레우코와의 대화** 체사레 파베세 희곡소설 | 김운찬 옮김 | 280면

154 **햄릿** 윌리엄 셰익스피어 희곡 | 박우수 옮김 | 256면

191 **메뚜기의 날** 너새니얼 웨스트 장편소설 | 김진준 옮김 | 280면

192 **나사의 회전** 헨리 제임스 중편소설 | 이승은 옮김 | 256면

193 **오셀로** 윌리엄 셰익스피어 희곡 | 권오숙 옮김 | 216면

194 **소송** 프란츠 카프카 장편소설 | 김재혁 옮김 | 376면

195 **나의 안토니아** 윌라 캐더 장편소설 | 전경자 옮김 | 368면

196 **자성록** 마르쿠스 아우렐리우스 명상록 | 박민수 옮김 | 240면

197 **오레스테이아** 아이스킬로스 비극 | 두행숙 옮김 | 336면

198 **노인과 바다** 어니스트 헤밍웨이 소설선집 | 이종인 옮김 | 320면

199 **무기여 잘 있거라** 어니스트 헤밍웨이 장편소설 | 이종인 옮김 | 464면

200 **서푼짜리 오페라** 베르톨트 브레히트 희곡선집 | 이은희 옮김 | 320면

201 **리어 왕** 윌리엄 셰익스피어 희곡 | 박우수 옮김 | 224면

202 **주홍 글자** 너대니얼 호손 장편소설 | 곽영미 옮김 | 360면

203 **모히칸족의 최후** 제임스 페니모어 쿠퍼 장편소설 | 이나경 옮김 | 512면

204 **곤충 극장** 카렐 차페크 희곡선집 | 김선형 옮김 | 360면

205 **누구를 위하여 종은 울리나** 어니스트 헤밍웨이 장편소설 | 이종인 옮김 | 전2권 | 각 416, 400면

207 **타르튀프** 몰리에르 희곡선집 | 신은영 옮김 | 416면

208 **유토피아** 토머스 모어 소설 | 전경자 옮김 | 288면

209 **인간과 초인** 조지 버나드 쇼 희곡 | 이후지 옮김 | 320면

210 **페드르와 이폴리트** 장 라신 희곡 | 신정아 옮김 | 200면

211 **말테의 수기** 라이너 마리아 릴케 장편소설 | 안문영 옮김 | 320면

212 **등대로** 버지니아 울프 장편소설 | 최애리 옮김 | 328면

213 **개의 심장** 미하일 불가꼬프 중편소설집 | 정연호 옮김 | 352면

214 **모비 딕** 허먼 멜빌 장편소설 | 강수정 옮김 | 전2권 | 각 464, 488면

216 **더블린 사람들** 제임스 조이스 단편소설집 | 이강훈 옮김 | 336면

217 **마의 산** 토마스 만 장편소설 | 윤순식 옮김 | 전3권 | 각 496, 488, 512면

220 **비극의 탄생** 프리드리히 니체 | 김남우 옮김 | 304면

221 **위대한 유산** 찰스 디킨스 장편소설 | 류경희 옮김 | 전2권 | 각 432, 448면

223 **사람은 무엇으로 사는가** 레프 똘스또이 소설선집 | 윤새라 옮김 | 464면

224 **자살 클럽** 로버트 루이스 스티븐슨 소설선집 | 임종기 옮김 | 272면

225 **채털리 부인의 연인** 데이비드 허버트 로런스 장편소설 | 이미선 옮김 | 전2권 | 각 336, 328면

227 **데미안** 헤르만 헤세 장편소설 | 김인순 옮김 | 272면
228 **두이노의 비가** 라이너 마리아 릴케 시 선집 | 손재준 옮김 | 504면
229 **페스트** 알베르 카뮈 장편소설 | 최윤주 옮김 | 432면
230 **여인의 초상** 헨리 제임스 장편소설 | 정상준 옮김 | 전2권 | 각 520, 544면
232 **성** 프란츠 카프카 장편소설 | 이재황 옮김 | 560면
233 **차라투스트라는 이렇게 말했다** 프리드리히 니체 산문시 | 김인순 옮김 | 464면
234 **노래의 책** 하인리히 하이네 시집 | 이재영 옮김 | 384면
235 **변신 이야기** 오비디우스 서사시 | 이종인 옮김 | 632면
236 **안나 까레니나** 레프 똘스또이 장편소설 | 이명현 옮김 | 전2권 | 각 800, 736면
238 **이반 일리치의 죽음 · 광인의 수기** 레프 똘스또이 중단편집 | 석영중 · 정지원 옮김 | 232면
239 **수레바퀴 아래서** 헤르만 헤세 장편소설 | 강명순 옮김 | 272면
240 **피터 팬** J. M. 배리 장편소설 | 최용준 옮김 | 272면
241 **정글 북** 러디어드 키플링 중단편집 | 오숙은 옮김 | 272면
242 **한여름 밤의 꿈** 윌리엄 셰익스피어 희곡 | 박우수 옮김 | 160면
243 **좁은 문** 앙드레 지드 장편소설 | 김화영 옮김 | 264면
244 **모리스** E. M. 포스터 장편소설 | 고정아 옮김 | 408면
245 **브라운 신부의 순진** 길버트 키스 체스터턴 단편집 | 이상원 옮김 | 336면
246 **각성** 케이트 쇼팽 장편소설 | 한애경 옮김 | 272면
247 **뷔히너 전집** 게오르크 뷔히너 지음 | 박종대 옮김 | 400면
248 **디미트리오스의 가면** 에릭 앰블러 장편소설 | 최용준 옮김 | 424면
249 **베르가모의 페스트 외** 옌스 페테르 야콥센 중단편 전집 | 박종대 옮김 | 208면

각 권 8,800~15,800원